ZHONGGUO GUDAI MINGBEI MINGTIE

MUJIAN ZHUJIAN BOSHU

中国古代名碑名帖

木简竹简帛书

魏文源编

黑龙江美术出版社

《木简 竹简 帛书》简介

简帛，即竹木简牍与帛书，是中国古代曾经使用逾两千年的文字载体，直到六朝时才逐渐为纸本所代替。早在汉晋，已有竹简出土的记载，而现代的发现，以1901年新疆尼雅的木简为其肇端。1925年，王国维先生在其著名演讲中，将西陲木简列为当时四大发现之一。到70年代以后，简帛重要发现层出不穷，使简帛的研究形成简帛学这一学科。

马王堆简帛书籍的书写年代，跨度很大，最早的可能是战国末，如旧称『篆书阴阳五行』的帛书《式法》，最晚的则在墓主生活的时代，即汉文帝初年。这段期间，不管是从学术文化的变迁上，还是从文字演变的历程上来看，都具有十分关键的意义。

就文字演变而言，马王堆简帛相当充分地反映了所谓『隶变』的重大转折。秦书有八体，最普遍使用的是隶书，而早期的隶书尚多含篆意，到文帝时就非常接近传统意味的汉隶了。

长沙子弹库楚帛书

〈甲〉

曰故天熊雹戏。出自□墧居于雎□。厥□佣佣。□□□女。梦梦墨墨。亡章弼弼。□每水□。风雨是于。乃取/且□。□子之子曰女皇。是生子四。□是襄。天践是各。参化法逃。为禹为万。以司堵襄。咎天步逌/乃上下腾转。山陵不殺。乃命山川四海。□熏气百气。以为其效。以涉山陵。泷汩淊漫。未有日月。四神/相代。乃步以为岁。是惟四时。■长曰青干。二曰朱四檀。三曰権黄棗。四曰墨干。千有百岁。日月/允生。九州不涌。山陵漾侐。四神□□。至于覆天旁动。扞蔽之。青木赤木黄木白木墨木之精。/炎帝乃命祝融。以四神降奠。三天□思。施奠四极。曰配九天□则大宁。则毋敢蔑天灵。帝俊乃/为日月之行。■共工夸步。十日四时。□□神则闰。四□毋思。百神风雨。辰违乱作。乃迎日月。以传相/□思。又宵又朝。又昼又夕。

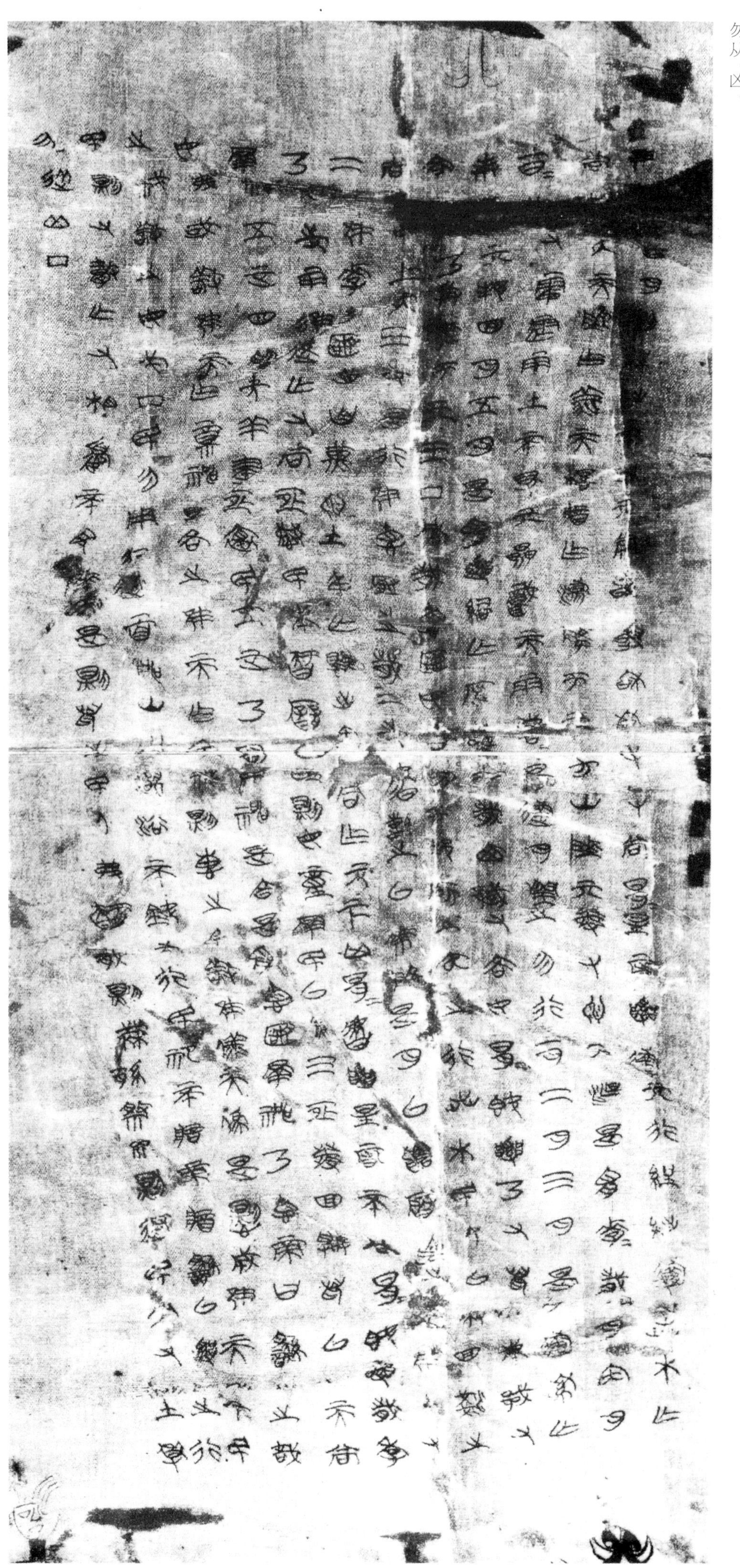

<乙>

惟□□□。月则盈缩。不得其当。春夏秋冬。有□堂堂。日月星辰。乱达其行。盈缩达□。卉木亡/常。□□□妖。天地作祥。天棓将作汤。降于其旁。山陵其发。又渊□涿。是谓孛。孛□月。入月。/七日八日。有雹雨土。不得其参主天雨。喜喜是达月。闰之勿行。一月二月三月。是谓达终。亡/奉。□□其邦。四月五月。是谓乱纪。亡沥。□二岁。西国又吝。如日月既乱。乃有兄祆。东国又/吝。□□乃兵。侮于其王。凡岁侧匿。如日亥惟邦所。五祆之行。卉木民人。以成四践之/常。□□上祆。三时是行。惟侧匿之岁。三时□□。系之以素降。是月以迁。拟为之正。惟十有/二月。惟孛侧匿。出自黄渊。土畯亡昧。出入□同。作其下凶。日月皆乱。星辰不同。日月既乱。岁季/乃□。时雨进退。亡又常恒。恭民未知。拟以为则。母动群民。以□三恒。发四沿荒。以□天常。/群神五正。四□饶祥。建恒怀民。五正乃明。其神是享。是谓侧匿。群神乃侧。帝曰。繇。□之哉。/毋弗或敬。惟天作福。神侧格之。惟天作祆。神则惠之。民敬惟永。天像是恻。虔惟天□。下民/之祀。敬之毋戈。民勿用□□百神。山川漫谷。不钦之行。民祀不庄。帝将猷以乱□之行。/民则又彀。亡又相扰。不见陵夷。是则荒至。民人弗知岁。则无懈祭。祀则遂。民少有□。土事/勿从。凶。

取于下：曰取。乙则至。不可以□杀。壬子丙子。凶。作□北征。帅有咎。武□□其辅。

如□武：曰女。可以出师。筑邑。不可以嫁女。娶臣妾。不火得不虔。

秉司春：曰秉。棲畜生。分女□

余娶女：曰余。不可以作大事。少昊其□□龙。其□娶女。为邦坠。■

皋出曙：曰皋。枭帅□得。以匿。不见月在□。不可以享祀。凶。娶□□为臣妾。■

且司夏：曰且。不可出师。水师不覆。其败其覆。至于其下□。不可以享。

<丙>

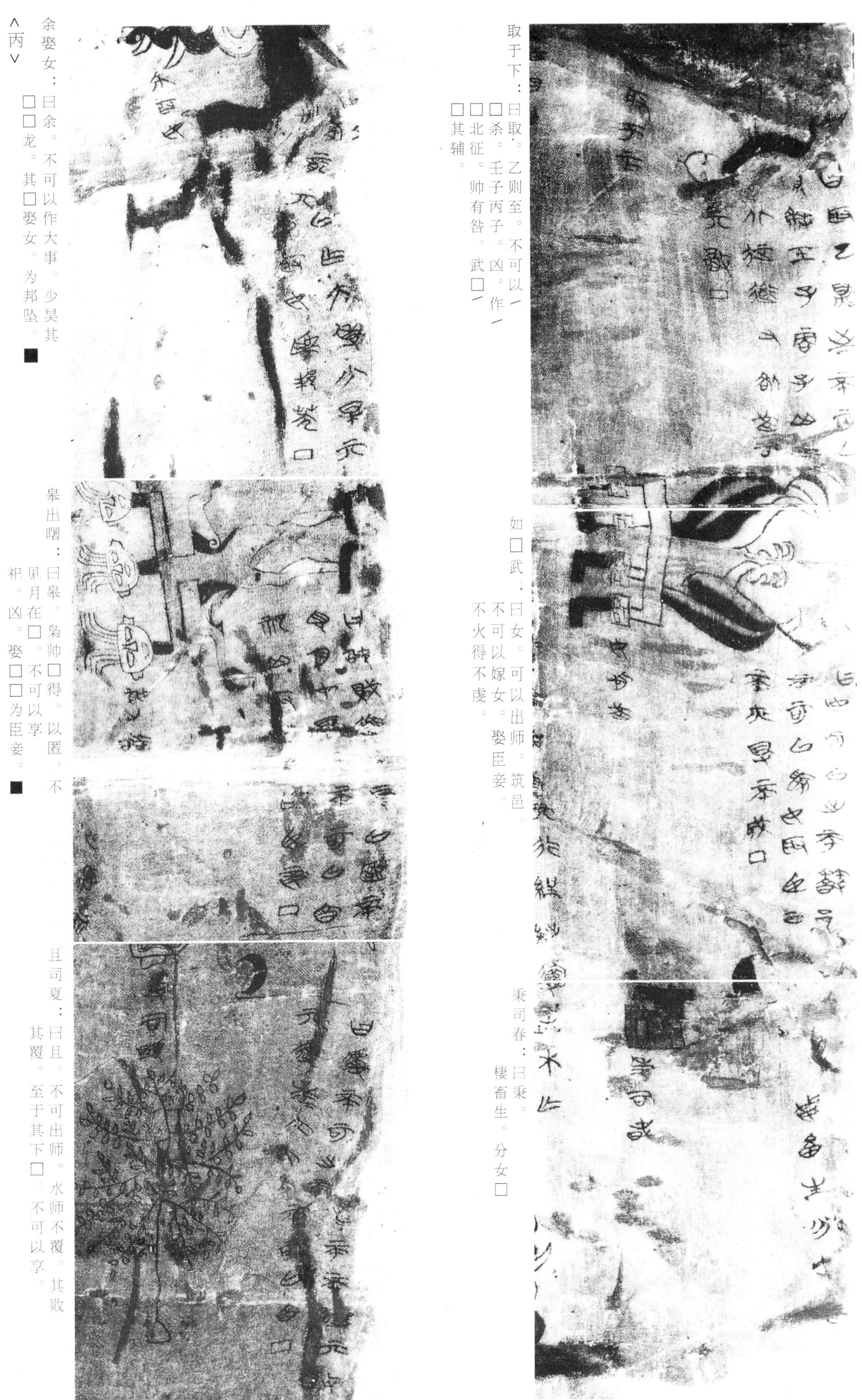

仓莫得：曰仓。不可以川。□。大不
欣于邦。有枭。内于上下。

臧□□：曰臧。不可以筑室。不
可以□。疾不复。其
邦有大乱。娶女。凶。

玄司秋：曰玄。可以筑□。
可□□尾乃

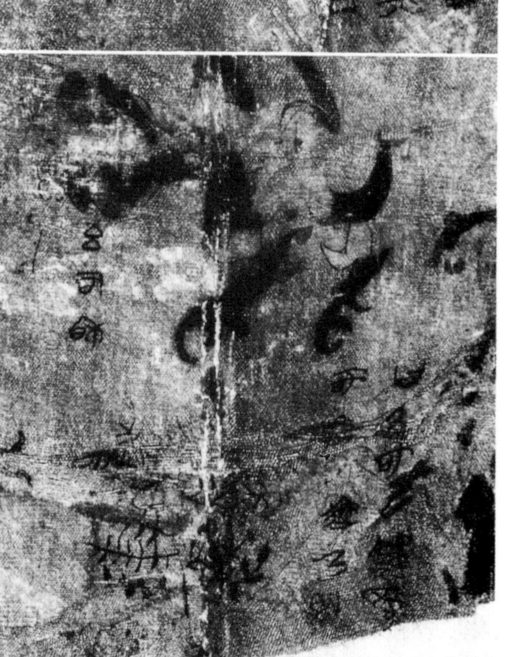

昜□羕：曰昜。不□毁事。可以
誓。除殴不义于四□。

姑分长：曰姑。利侵伐。可以攻城。
可以聚众。会诸侯。刑百
事。戮不义。■

荼司冬：曰荼。不可以攻
叙。

鸟卵。□以\之便。\□□益气。取白松脂杜虞□石脂等冶。并合三指大撮。再置\内加及约。取空垒二斗。父且。段之。□□成汁。若美醯二斗渍之。\去其掌。\取桃毛二升。入□中挠□。取善布二尺。渍□中。阴乾。\□□布。即用。用布抿揗中身及前。举而去之。\欲止之。取黍米泔若流水。以洒之。\内加。取春鸟卵。卵入桑枝中。蒸之。\□黍中食之。卵壹决。勿多食。多食\内加。取桂姜椒蕉荚等。皆冶。并合。以縠汁丸之。以榆□搏之。大如。\藏筒中。勿令歇。即取入中身空中。举去之。\内加。取縠汁一斗。渍善白布二尺。□□蒸。尽汁。善藏留用。用布揾中身。举去之。\内加。取犬肝。置入蜂房。旁令蜂□螫之。阅十余房。冶陵藁一升。渍美醯\一参中。五宿。去陵藁。因取禹熏。□□各三指大撮一。与肝并入醯中。再\以善絮尽醯。善藏筒中。勿令歇。用之以。

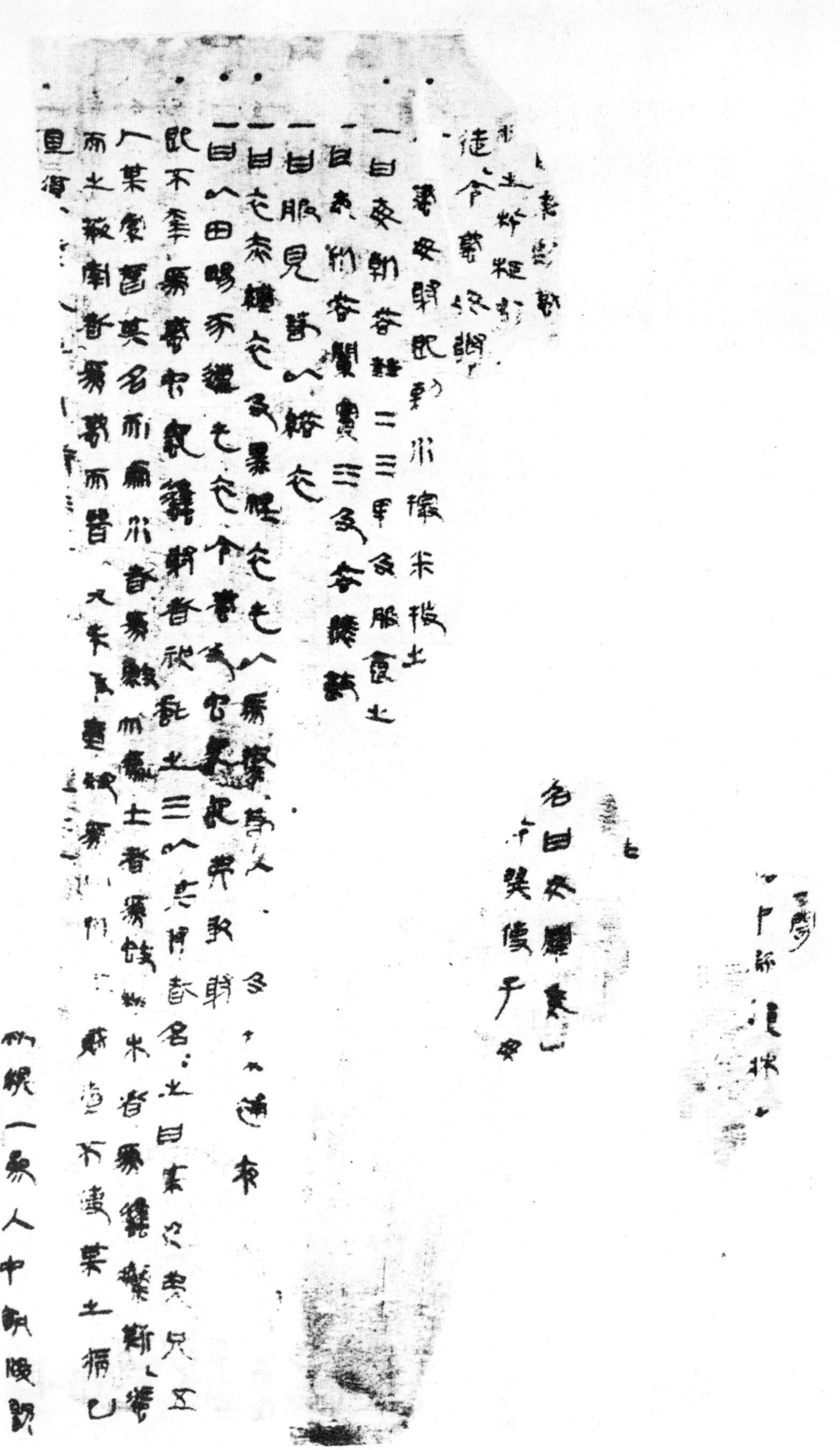

閰\中饮□床\曰\□□来到蜮名曰女萝。委\□之柧柜羿使子母\徒。令蜮母射。\令蜮毋射。即到水。撮米投之。\一曰。每朝啜柰二三颗。及服食之。\一曰。每朝啜兰实三。及啜蔆芰。\一曰。服见。若以缀衣。\一曰。衣赤缠衣及黑涅衣。屯以马来。若以□及□补夜。一曰。以田暘豕邋屯衣。令蜮及虫蛇蛇弗敢射。\即不幸为蜮虫蛇蜂射者。祝唾之三。以其射者名名之。曰。某。汝弟兄五\人。某索知其名。而处水者为蛭。而处土者为蚑。棲木者为蜂蛅斯。蜚\而之荆南者为蜮。而晋□未□。尔教为宗孙。某贼。尔不使某之病已。且复。\根一参入中。熟浚饮。

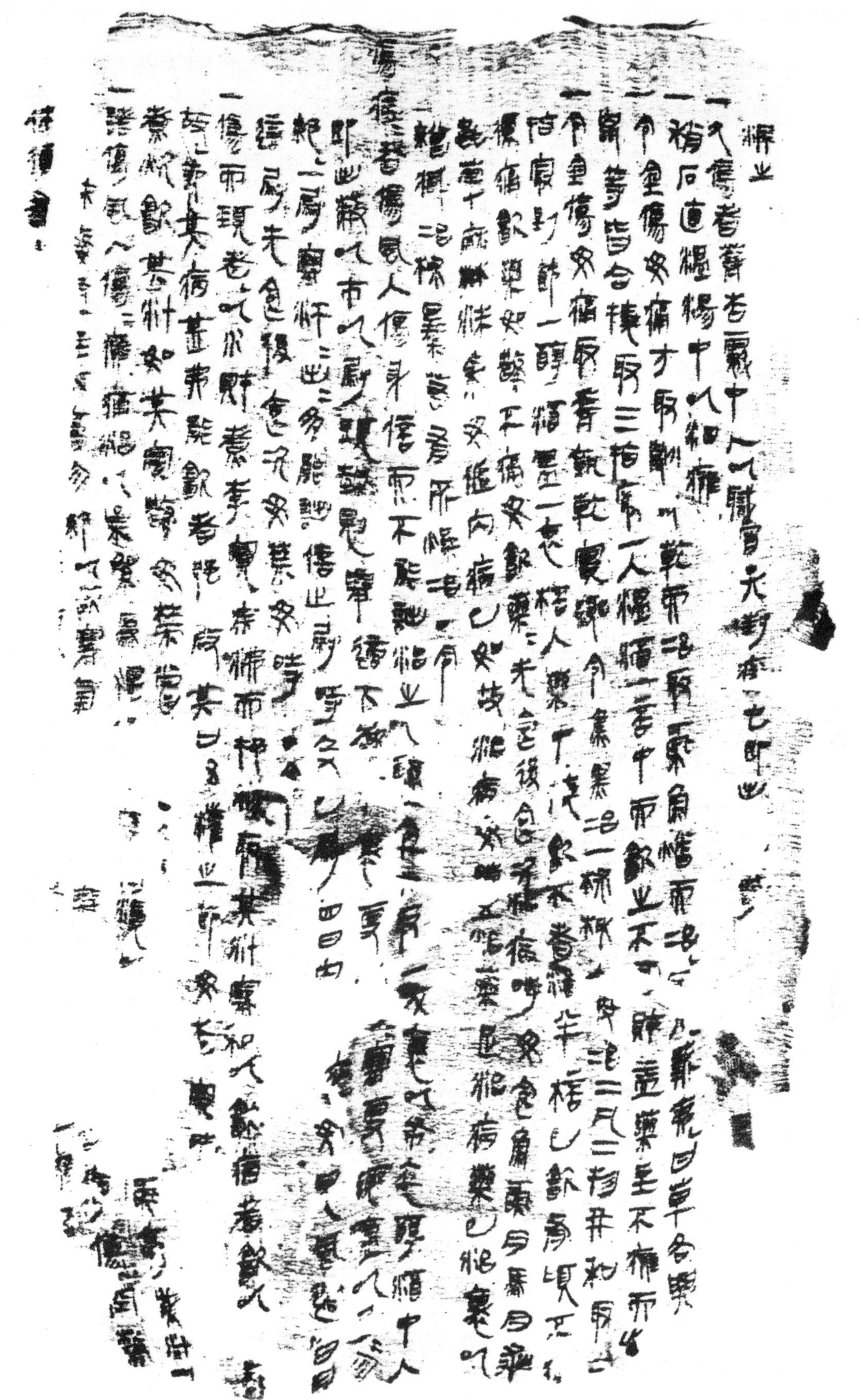

泥之。一。久伤者。荠杏核中仁。以职膏拌。封痏。虫即出。●尝试。\一。消石置温汤中。以洒痈。\一。令金伤毋痛方。取鼢鼠。乾而冶。取鼋鱼。燔而冶。\□□辛夷甘草各与鼢鼠等。皆合挠。取三指撮一。入温酒一杯中而饮之。不可。才益药。至不痛而止。●令。\一。令金伤毋痛。取荠熟乾实。熬令焦黑。冶一。术根去皮。冶二。凡二物并和。取三\指撮到节一。醇酒盈一衷杯。入药中。挠饮。不者。酒半杯。已饮。有顷不痛。\复痛。饮药如数。不痛。毋饮药。药先食后食恣。治病时。毋食鱼彘肉马肉龟\蛇荤麻洙菜。毋近内。病已如故。治病毋时。壹治药。足治病。药已冶。裹以\绘藏。治术。曝若有所燥。冶。●令。\伤痉。痉者。伤。风人伤。身伸而不能屈。治之。熬盐令黄。取一斗。裹以布。淬醇酒中。入\即出。蔽以市。以熨头。热则举。适下。为□裹更熨。熨寒。更熬盐以熨。熨勿\绝。一熨寒汗出。汗出多。能屈伸止。熨时及已熨四日内。□□衣。毋见风。过四日自\适。熨先食后食恣。毋禁。毋时。●令。\一。伤而痉者。以水才煮李实。疾沸而抒。浚取其汁。寒和。以饮病者。饮以□□\故。即其病甚弗能饮者。\强启其□。为灌之。即毋李实时。\煮炊。饮其汁。如其实数。毋禁。尝试。●令。\一。诸伤。风入伤。伤痈痛。治以枲絮为独□□□伤。渍彘膏煎汁□\□□沃。数□注。下膏勿绝。以驱寒气。举。以傅伤孔。蔽□\休得为痈

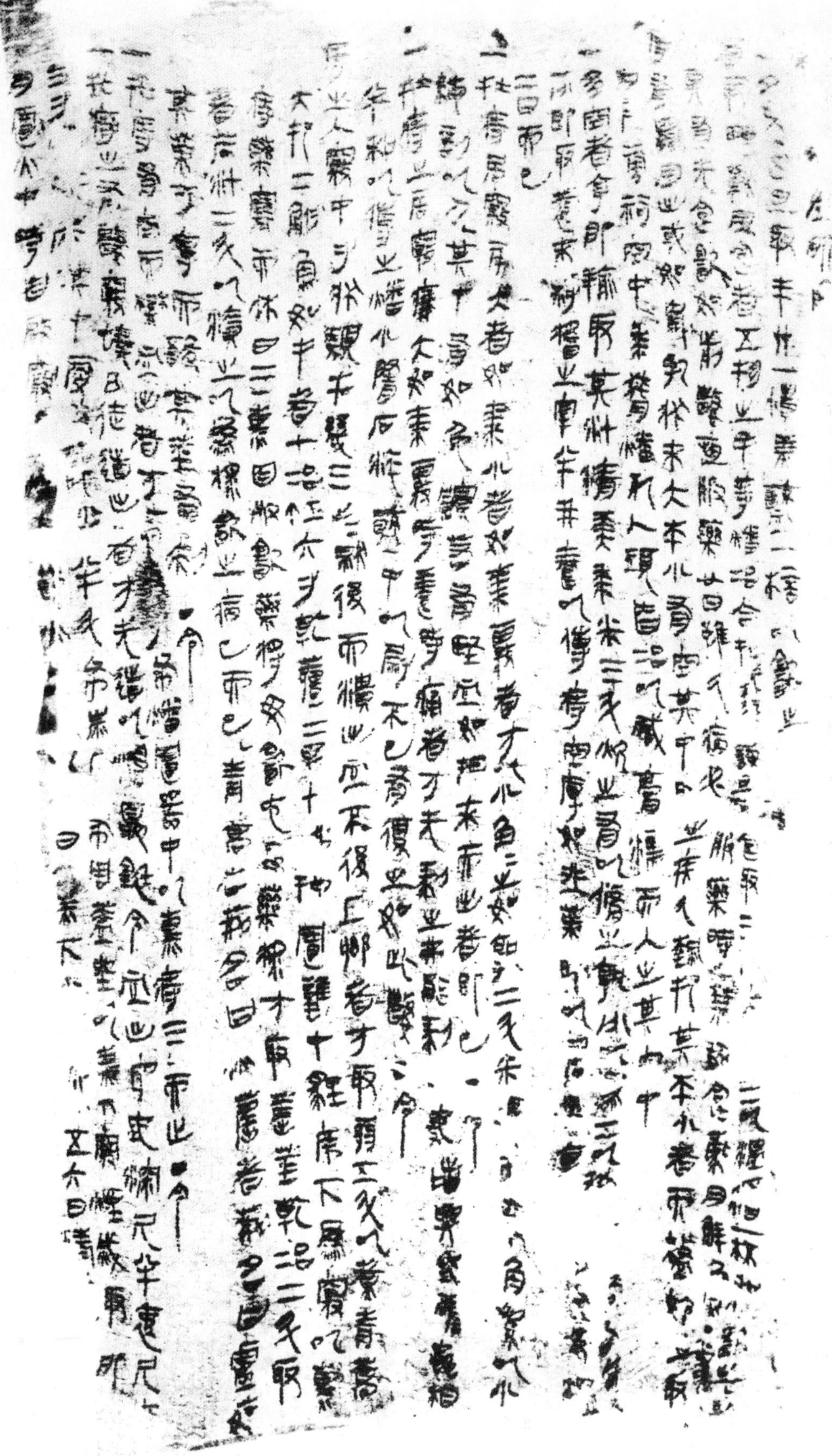

上。\穨□灸左胻\一。夕毋食。旦取蜂卵一。渍美醯一杯。以饮之。\胍者。取野兽肉食者五物之毛等。燔冶。合挠□。每旦先食。取三指大
最三。以温酒一杯和。饮之。到\暮又先食饮。如前数。恒服药廿日。虽久病必已。服药时禁。毋食彘肉鲜鱼。●尝试。\牡痔。有螺肉出。或
如鼠乳状。末大本小。有孔其中。治之。疾灸热。把其本小者而盭绝之。取\内户旁祠空中黍腏燔死人头皆冶。以职膏濡。而入之其孔中。\
一。多孔者。烹肥羭。取其汁渍美黍米三斗。炊之。又以修之。熟分以为二。以□□□。各□\一分。即取鋊末。菽酱之滓半。并舂。以傅痔
孔。厚如韭叶。即以厚布裹。□□更温。二日而已。\一。牡痔居家旁。大者如枣。小者如枣核者方。以小角角之。如熟二斗米顷。而张角。
吉以小\绳。剖以刀。其中有如兔髌。若有坚血如拊末而出者。即已。●令。\一。牡痔之居家廉。大如枣核。时痒时痛者方。先劙之。弗能
劙。□龟脑与地胆虫相\半和。以傅之。燔小椭石。淬醯中以熨。不已。又复之。如此数。●令。\牡痔之人家中寸。状类牛虮三□□然。后而
贵出血。不后上响者方。取溺五斗。以煮青蒿\大把二。鲋鱼如手者七。冶桂六寸。乾姜二颗。十沸。抒置罋中。埋席下。为家以熏\痔。药寒
而休。日三熏。咽敝饮药浆。毋饮他。为药浆方。取屈茎乾冶二升。取\署蓏汁二斗以渍之。以为浆。饮之。病已而已。\青蒿者。荆名曰萩。
䒷者。荆名曰庐茹。其叶可烹而酸。其茎有刺。●令。一。牝痔有孔而挛。血出者方。取女子布。燔置器中。以熏痔。三日而止。●令。\一。
牝痔之有数家。蛲白徒道出者方。先导以滑夏梃。令血出。穿地深尺半。袤尺。广\三寸。燔□炭其中。煆骆阮少半斗。布炭上。以布周盖。
坐以熏下家。烟灭。取肥□\肉置火中。时自启家。□□烧□节。火灭□以□。日一熏。下□□而□。五六日清

鲁桓公少。隐公立以奉孤。公子翚谓隐公曰。胡不代之。隐公弗听。亦弗罪。\闵子辛闻之曰。□□隐公。夫奉孤以君令者。百图之召也。长将畏其威。次职其□。其□有夫奉孤者。□素以暴忠。□伐以□\□。□惧有奸心而正也害君耳闻□□心不怒。□志也。事□□□疾□\□牲而素不匡。非备也。□□□之。其能久作人命。卒必诈之。桓公长。公子翚果以其\言诈之。公使人攻隐公□□蚤。长万。宋之第士也。君使为□。及鲁宋战。\●长万□止焉。君使人请之。来而戏之曰。始\吾敬子。今子鲁之囚也。吾不敬子矣。长万病之。因田。曰。\夫君者臣之所为容也。朝夕自孱。日以有几也。是故君人者。刑之所不及。弗措于心。伐之\所未加。弗见于色。故刑伐已加而乱心不生。今罪而弗诛。耻而近之。是绝其几而陷之深。\□□□何□丘之闻之也。于君。君鲜不害矣。(●鲁亘公少隐公立以奉孤\公子翚胃隐公曰胡不□□□公弗听亦弗罪闵子辛闻)\●宋荆战泓水之上。宋人□□阵矣。荆人未济。宋司马请曰。宋人寡而荆人众。及未济\击之。可破也。宋君曰。吾闻之。君子不击不成之列。不重伤。不擒二毛。士匽为鲁君\犒师。曰。宋必败。吾闻之。兵□三用。不当名则不克。邦治敌乱。兵之所迹也。小邦□\大邦。邪以攘之。兵之所□也。诸侯失礼。天子诛之。兵□□□也。故\于百姓。上下无卻。然后可以济。伐深人多杀者为上。所以除害也。今宋用兵而不□。\见间而弗从。非德伐回。阵何为。且宋君不耻不全宋人之腹颈。而耻不全荆阵之义。逆矣。以逆使民。其何以济之。战而宋人果大败。\●吴伐越。复其民。以归。弗复□□刑之。使守布舟。纪嚋曰。刑不炎口。使守布舟。留其祸也。刑人耻刑而哀不辜。□怨以伺间。千万必有幸矣。吴子余蔡观舟。阍人杀之。

●鲁庄公有疾。讯公子牙曰。吾将谁以。□子对曰。庆父才。讯公子侑。对曰。臣以死奉烦也。五月。\公薨。子烦即位。公子庆父杀子烦而立公子启方。君召。公子侑俱入。闵子辛闻之曰。君以\逆德入。殆有后患。夫共仲圉人乐。虑其扶。以犯尚民之众。杀子烦而立君。除君怨也。今召\而公子侑俱入。不怨也。若不怨怨。则德无事矣。为其亲则德为柰矣。二子之袭失量于\君。愧于诸悔德诈怨。何瑕之不图。处二年。共仲使卜奇贼闵公于武闱。\●鲁桓公与文姜会齐公于泺文姜通于齐侯。桓公以訾文姜。文姜以告齐侯。齐侯使公子彭\生载。公薨于车。医宁曰。吾闻之。贤者死忠以辱尤而百姓愚焉。智者置理长虑\而身得庇焉。今彭生近君。□无尽言。容行阿君。使吾君失亲戚之礼命。又力成吾君之过。以\□二邦之恶。彭生其不免乎。祸理属焉。君以怒遂祸。不畏恶也。亲间容。昏生□\无慝也。岂及彭生而能正之乎。鲁若有诛。彭生必为说。鲁人请曰。寡君来力旧\好。礼成而不返。恶于诸侯。无所归怨。齐侯果杀彭生以悦鲁。

也。无所用。赵毋恶乎齐为上。齐赵不恶。国不可得而安。功不可得而成也。齐赵之恶从已。\愿王之定虑而羽赞臣也。赵止臣而它人
齐。必害于燕。臣止于赵而待其鱼肉。臣□不利于\身。●自齐献书于燕王曰。燕齐之恶也久矣。臣处于燕齐之交。固知必将不信。臣
计曰。齐\必为燕大患。臣循用于齐。大者可以使齐毋谋燕。次可以恶齐赵之交。以便王之大事。是\王之所与臣期也。臣受教任齐。交
年。齐兵数出。未尝谋燕。齐赵之交。一美一\恶。一合一离。燕非与齐谋赵。则与赵谋齐。齐之信燕也。虚北地□行其甲。王信伐缫去
之\言攻齐。使齐大戒而不信燕。臣秦拜辞事。王怒而不敢强。赵疑燕而不攻齐。王使襄安君东。\以便事也。臣岂敢强王哉。齐赵遇于阿
王忧之。臣与于遇。约攻秦去帝。虽费。毋齐赵之患。除\群臣之耻。齐杀张雎。臣请属事辞为臣于齐。王使庆谓臣。不之齐危国。臣以
之\围。治齐燕之交。后。薛公韩徐为与王约攻齐。奉阳君鬻臣。归罪于燕。以定其封于齐。公\欲丹之勺致蒙。奉阳君受之。王忧之。故
臣之齐。臣之齐。恶齐赵之交。使毋豫蒙而通宋使。故王能\裁之。臣以死任事。之后。秦受兵矣。齐赵皆尝谋。齐赵未尝谋燕。而俱争
于天下。臣\虽无大功。自以为免于罪矣。今齐有过辞。王不喻齐王多不忠也。而以为臣罪。臣甚惧。雎之死\也。王辱之。襄安君之不归
也。王苦之。齐改葬其后而召臣。臣欲毋往。使齐弃臣。王曰。齐王之多\不忠也。杀妻逐子。不以其罪。何可怨也。故强臣之齐。二者大
也。而王以赦臣。臣受赐矣。臣之行也。固\知必将有□。故献御书而行。曰。臣贵于齐。燕大夫将不信臣。臣贱。将轻臣。臣用。将多望
臣。齐\有不善。将归罪于臣。天下不攻齐。将曰善为齐谋。天下攻齐。将与齐兼弃臣。臣之所处者重卵\也。王谓臣曰。吾必不听众□与
言。吾信若犹龁也。大可以得用于齐。次可以得信。下苟毋死。若无\不为也。以孥自信可。与言去燕之齐可。甚者。与谋燕可。期于成
而已。臣恃之诏。是故无不以口齐\王而得用焉。今王以众口与造言罪臣。臣甚惧。王之于臣也。贱而贵之。辱而显之。臣未有以报王。
求卿\与封。不中意。王为臣有之两。臣举天下使臣之封不惭。臣止于赵。王谓韩徐为。止某不道。犹免寡人之冠也。以\拯臣之死。臣之
王。深于骨髓。臣甘死辱。可以报王。愿为之。今王使庆命臣曰。吾欲用所善。王苟有所善

必伐。王听臣之。为之惊四境之内。兴师救韩。命战车盈夏路。发信臣多\其车。重其敝。使信王之救己也。韩为不能听我。韩之德王
。必不为逆以来。是秦\韩不和也。兵虽至楚。国不大病矣。为能听我。绝和于秦。秦必大怒。以厚怨韩。韩南\交楚。必轻秦。轻秦。其应
不敬矣。是我因秦韩之兵。免楚国楚国之患也。楚\之王诺。乃惊四境之内。兴师言救韩。发信臣多车。厚其敝。使之韩。谓韩\王曰。不
虽小。已悉起之矣。愿大国肆意于秦。不穀将以楚殉韩。韩王\悦。止公仲之行。公仲曰。不可。夫以实苦我者秦也。以虚名救我者楚也。
楚\之虚名。轻绝。强秦之敌。天下必笑王。且楚韩非兄弟之国也。又非素\谋伐秦也。已伐形。因兴师言救韩。此必陈轸之谋也。夫轻绝
秦而强信\楚之谋臣。王必悔之。韩王弗听。遂绝和于秦。秦因大怒。益师。与韩氏战于岸\门。楚救不至。韩氏大败。故韩氏之兵非弱
。其民非愚蒙也。兵为秦擒。知\为楚笑者。过听于陈轸。失计韩倗。故曰。计听知顺逆。虽王可。\●秦使辛\梧据梁。合秦梁而攻楚。李
忧之。兵未出。谓辛梧。以秦之强。有梁之劲。东面而伐\楚。于臣也。楚不待伐。割挚马兔而西走。秦与楚为上交。秦祸案还中梁矣。\将
必逐于梁。恐诛于秦。将军不见井忌乎。为秦据赵而攻燕。拔二城。燕使蔡\鸟股符胠壁。间赵入秦。以河间十城封秦相文信侯。文信侯
敢受曰。我无功。蔡鸟\明日见。带长剑。按其剑。举其末。视文信侯曰。君曰。我无功。君无功。胡不解君之玺。\佩蒙敖王奇也。秦王以
为贤。故加君二人之上。今燕献地。此非秦之地也。君弗\受不忠。文信侯敬诺。言之秦王。秦王令受之。与燕为上交。秦祸案还归于赵
。秦\大举兵东面而剂赵。言毋攻燕。以秦之强。有燕之怒。割赵必深。赵不能听。逐井忌。诛于\秦。今臣窃为将军私计。不如少按之。毋
出兵。秦未得志于楚。必重梁。梁\未得志于楚。必重秦。是将军两重。天下人无不死者。久者寿。愿将军之察\之也。梁兵未出。楚见梁
未出兵也。走秦必缓。秦王怒于楚之缓也。怨必深。\是将军有重矣。梁兵果六月乃出。●见田弄于梁南曰。秦攻鄢陵。几拔矣。梁

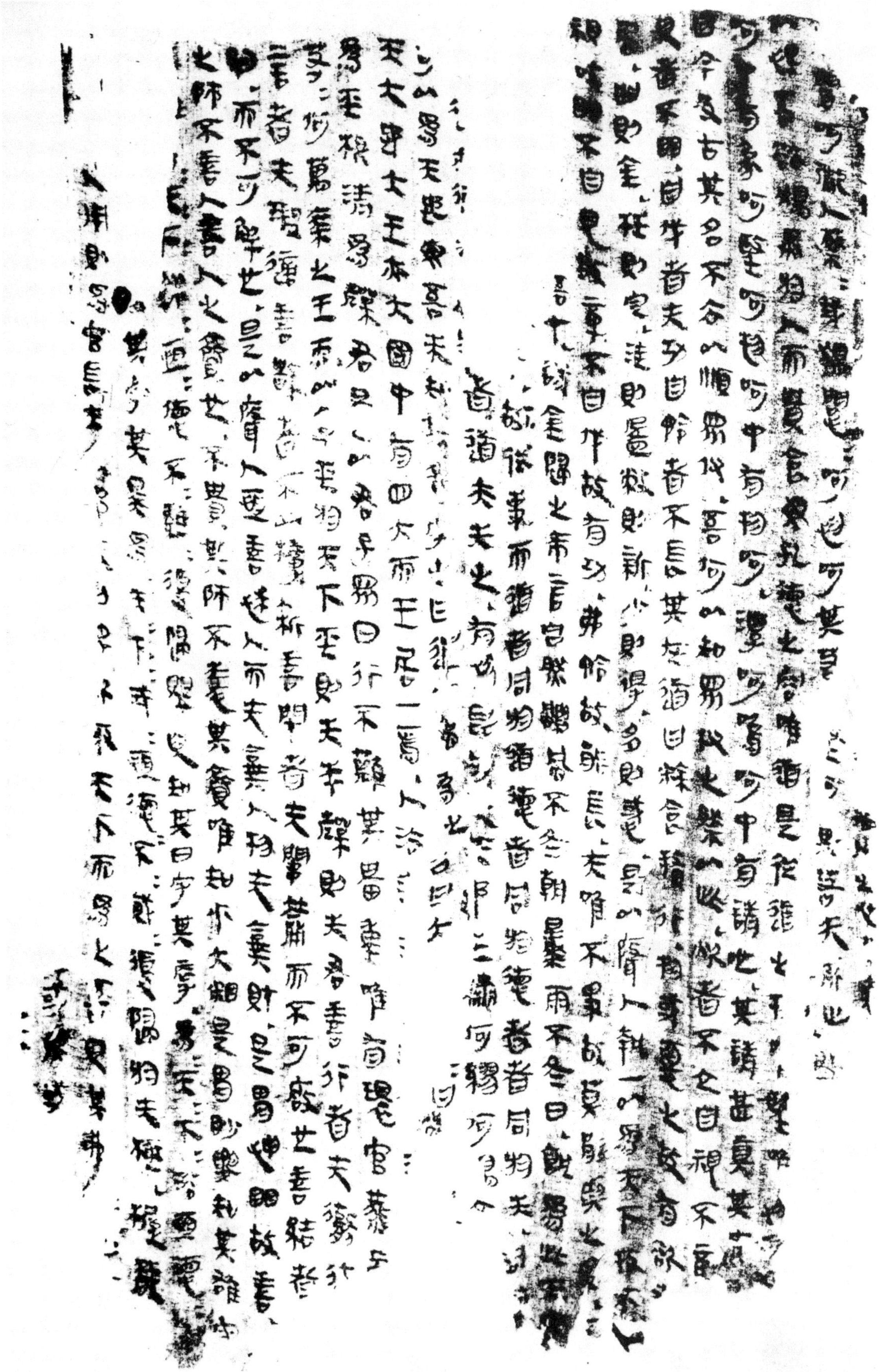

我独若昏呵。俗人察察。我独闷闷呵。忽呵其若海。恍呵其若无所止。我独顽\以俚。吾欲独异于人。而贵食母。孔德之容。唯道是从。之物。唯恍唯忽。忽呵恍呵。中\有象呵。恍呵忽呵。中有物呵。幽呵冥呵。中有精也。其精甚真。其中有信。\自今及古。其名不去。以顺父。吾何以知众父之然。以此。跂者不立。自示不章。自\见者不明。自伐者无功。自矜者不长。其在道。曰。余食赘行。物或恶之。故有者弗\居。曲则全。枉则定正。洼则盈。敝则新。少则得。多则惑。是以圣人执一。以为天下牧。不自\示故明。不自见故章。不自伐故有功弗矜故能长。夫唯不争。故莫能与之争。古之\所谓曲全者。几虚语哉。诚全归之。希言自然。飘风不终朝。暴雨不终日。孰为此。天地\弗能久有。况于人乎。故从事而道者同于道。德者同于德。失者同于失。同德\者。道亦德之。同于失者。道亦失之。有物混成。先天生。寂呵寥呵。独立而不改。\可以为天地母。吾未知其名。字之曰道。吾强为之名曰大。大曰逝。逝曰远。远曰反。道大。天\大。地大。亦大。国中有四大。而王居一焉。人法地。地法天。天法道。道法自然。重\为轻根。静为躁君。是以君子终日行。不离其辎重。虽有环官燕处则昭\若。若何万乘之王而以身轻于天下。轻则失本。躁则失君。善行者无辙迹。善\言者无瑕谪。善数者不以筹策。善闭者无关而不可启也。善结者无契\约而不可解也。是以圣人恒善救人。而无弃人。物无弃财。是谓曳明。故善人。善人\之师。不善人。善人之也。不贵其师。不爱其资。虽知乎大迷。是谓眇要。知其雄。守其\雌。为天下溪。为天下溪。恒德不离。恒德不离。复归婴儿。知其白。其辱。为天下谷。为天下谷。恒德乃\足。知其。守其黑。为天下式。为天下式。恒德不忒。德不忒。复归于无极。朴散则\为器。圣人用则官长。夫大制无割。将欲取天下而为之。吾见其弗得已。

。以其中心与人交。悦也。乃悦焉。迁于兄弟。戚也。戚而伸之。亲也。亲而笃之。\爱也。爱父。其杀爱人。仁也。中心辨焉而正行之。直。直而遂之。泄也。\不畏强御。果也。不以小道害大道。简也。有大罪而大诛之。行也。●贵贵其等尊\贤。义。以其外心与人交。远也。而庄之。敬也。敬而不懈。严。严而威之。尊也。尊\而不骄。恭也。恭而博交。礼也。●未尝闻君子道。谓之不聪。未尝见贤人。\谓之不。闻君子道而不知其君子道也。谓之不圣。见贤人而不知其有德也。谓之不智。见而知之。智也。闻而知之。圣也。明明。智也。赫赫。。明明在下。赫赫在\上。此之谓也。●闻君子道。聪也。闻而知之。圣也。圣人知天道。知而行之。义也。行之\而时。德也。见贤人。明。见而知之。智也。知而安之。仁也。安而敬之。礼也。仁义。\礼智之所由生也。五行之所和。和则乐。乐则有德。有德则国家兴。\诗曰。王在上。于昭于天。此之谓也。见而知之。智也。知而安之。仁也。安而行\之。义也。行而敬之。礼。仁义礼智之所由生也。四行之所和。则同。同则善。不简。\不行。不匿。不辨于道。有大罪而大诛之。简。有小罪而赦之。匿也。有大罪弗诛之。不\行。有小罪而弗赦。不辨道。简之为言也犹加。大而罕者。匿之为言也犹匿。匿\小而轸者。简。义之方也。匿。仁之方也。刚。义之方也。柔。仁之方也。诗曰。不\不救。不刚不柔。此之谓也。●君子集大成。能进之为君子。不能进。各止于其里。\大而罕者。能有取焉。小而轸者。能有取焉。率庐。达于君子道。谓之贤。君\子知而举之。谓之尊贤。君子从而事之。谓之尊贤。前王公之尊贤者。\后士之尊贤者也。耳目鼻口手足六。心之役也。心曰唯。莫敢不唯。\心曰诺。莫敢不诺。心曰进。莫敢不进。心曰浅。莫敢不浅。

道生法。法者引得失以绳。而明曲直者也。故执道者。生法而弗敢犯也。法立而弗敢废\欲。曰不知足。生必动。动有害。曰不时。曰时
□。动有事。事有害。曰逆。曰不称。不知所为用。事\或以生。或以败。或以成。祸福同道。莫知其所从生。见知之道。唯虚无有。虚无有
秋毫成之。必有\故天下有事。无不自为形名声号矣。形名已立。声号已建。则无所逃迹匿正矣。公者明。至\天下有事。必有巧验。事
植木。多如仓粟。斗石已具。尺寸已陈。则无所逃其神。故曰。度\其极。反索之无形。故知祸福之所从生。应化之道。平衡而止。轻重
称。是谓失道。天地\时晦明生杀柔刚。万民之恒事。男农女工。贵贱之恒位。贤不肖不相妨。畜臣之恒\名□弗去。凡事无小大。物自
舍。逆顺死生。物自为名。名形已定。物自为正。故唯执道\至素至精。浩弥无形。然后可以为天下正。■国失其次。则社稷大匡。夺\必
其国。兼之而勿擅。是谓天功。天地无私。四时不息。天地位。圣人故载。过极失当。\毋擅天功。兼人之国。修其国郭。处其廊庙。听其
鼓。利其资财。妻其子女。是谓□危\有殃。故圣人之伐也。兼人之国。堕其城郭。焚其钟鼓。布其资财。散其子女。裂其地土。以\阳窃
天夺其光。阴窃者土地荒。土敝者天加之以兵。人执者流之四方。党别者\五逆。五逆皆成。□地之纲。变故乱常。擅制更爽。心欲是行
身危有殃。■\令。五年而以形正。六年而民畏敬。七年而可以征。一年从其俗。则知民则。二年用其德。\六年。七年而可以征。则胜
敌。俗者顺民心也。德者爱勉之。

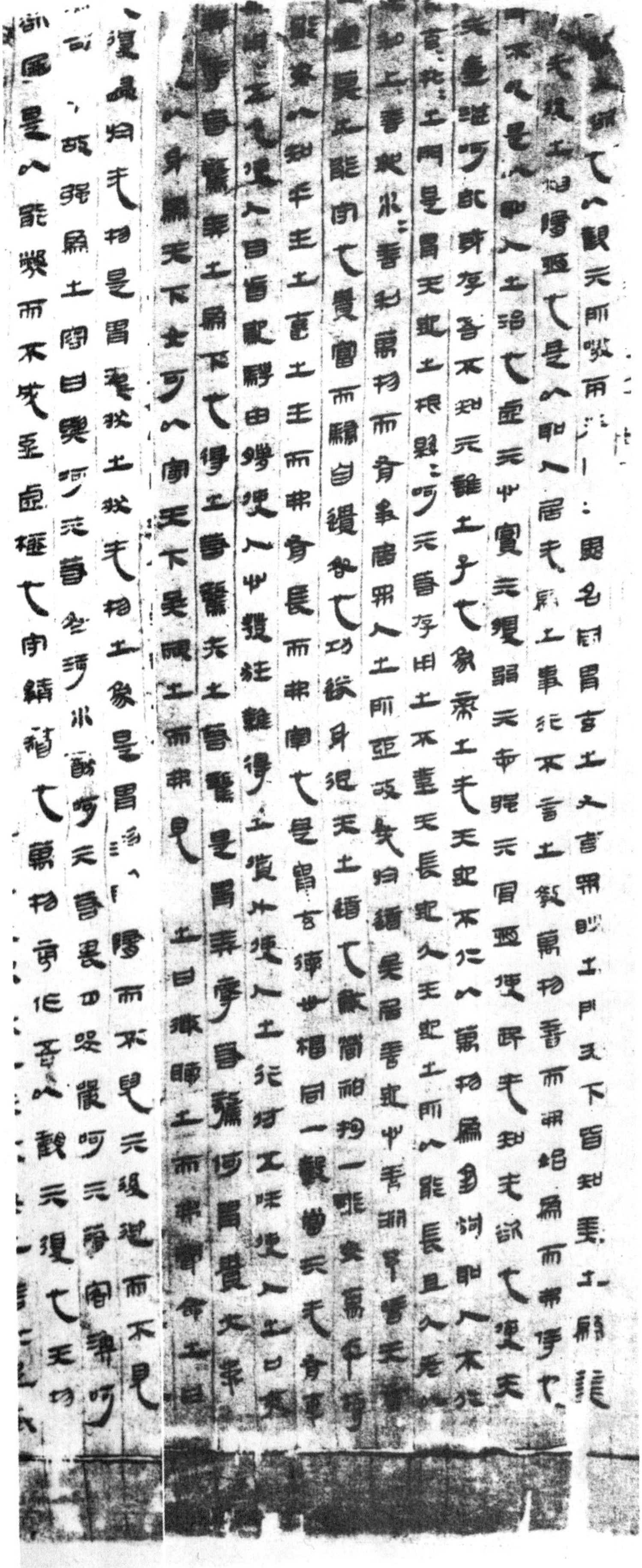

〈老子乙本〉

恒有欲也。以观其所徼。两者同出。异名同谓。玄之又玄。众妙之门。天下皆知美之为美丿也。先后之相随恒也。是以圣人居无为之事。行不言之教。万物作而弗始。为而弗恃也。丿民不乱。是以圣人之治也。虚其心。实其腹。弱其志。强其骨。恒使民无知无欲也。使夫丿其尘。湛呵似或存。吾不知其谁之子也。象帝之先。天地不仁。以万物为刍狗。圣人不仁。丿胃玄牝。玄牝之门。是谓天地之根。绵绵呵其若存。用之不勤。天长地久。天地之所以能长且久者。以丿其私。上善如水。水善利万物而有争。居众人之所恶。故几于道矣。居善地。心善渊。予善天。言丿盈室。莫之能守也。贵富而骄。自遗咎也。功遂身退。天之道也。戴营魄抱一。能毋离乎。搏丿能毋以知乎。生之畜之。生而弗有。长而弗宰也。是谓玄德。卅辐同一毂。当其无有。车丿为用。五色使人目盲。驰骋田猎使人心发狂。难得之货□使人之行妨。五味使人之口爽。丿宠辱若惊。宠之为下也。得之若惊。失之若惊。是谓宠辱若惊。何谓贵大患丿矣。爱以身为天下。如可以寄天下矣。视之而弗见。名之曰微。听之而弗闻。命之曰丿也。复归于无物。是谓无状之状。无物之象。是谓忽恍。随而不见其后。迎而不见丿不可志。故强为之容。曰。与呵其若冬涉水。犹呵其若畏四邻。严呵其若客。涣呵丿欲盈。是以能敝而不成。至虚极也。守静笃也。万物并作。吾以观其复也。夫物

〈居延肩水金关汉棨信〉

张掖都尉棨信。

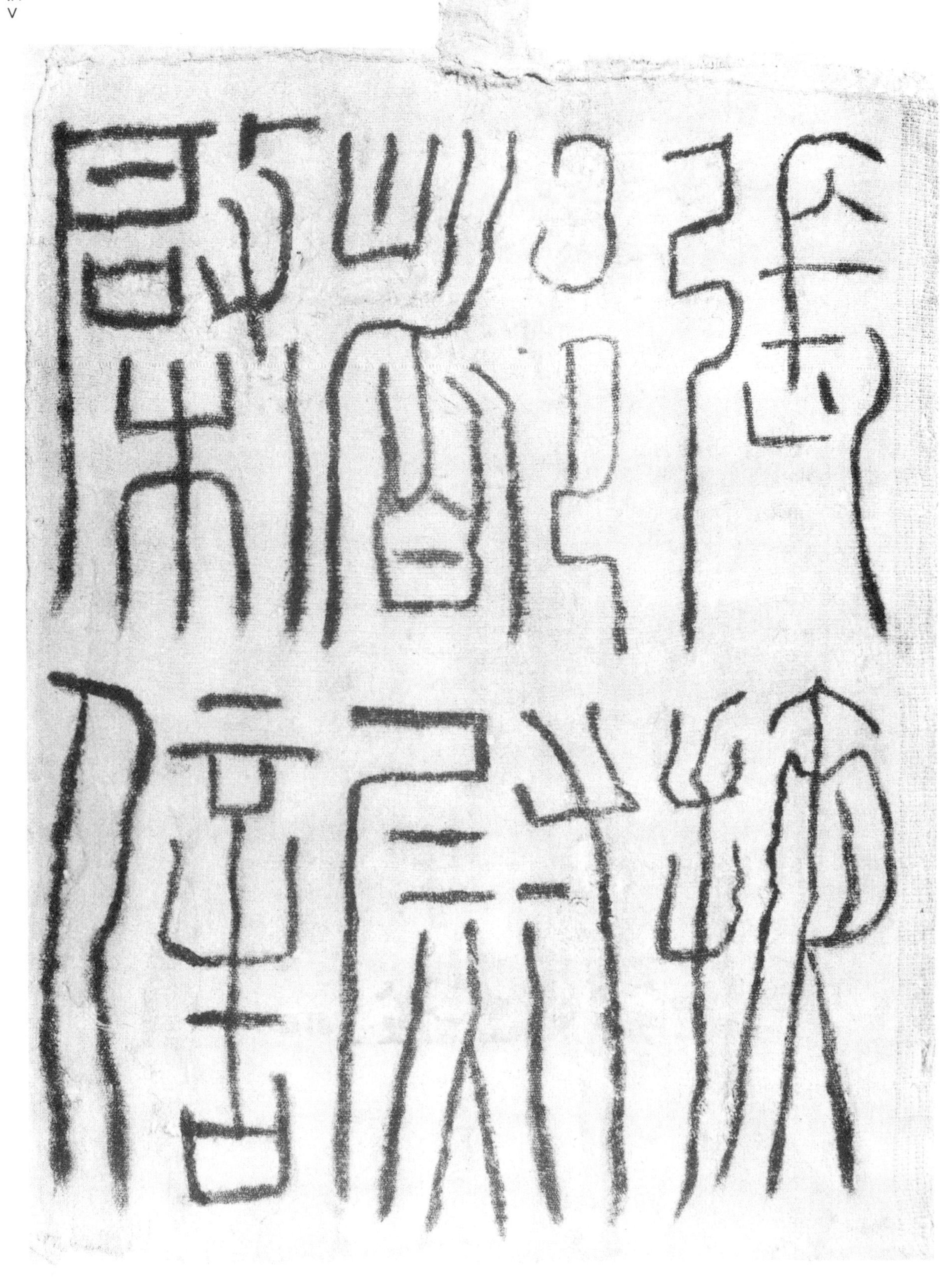

①

②

③

③姑臧渠门里张□□之柩

②平陵敬事里张伯升之柩。过所毋哭。

①姑臧西乡阉导里壶子梁之。

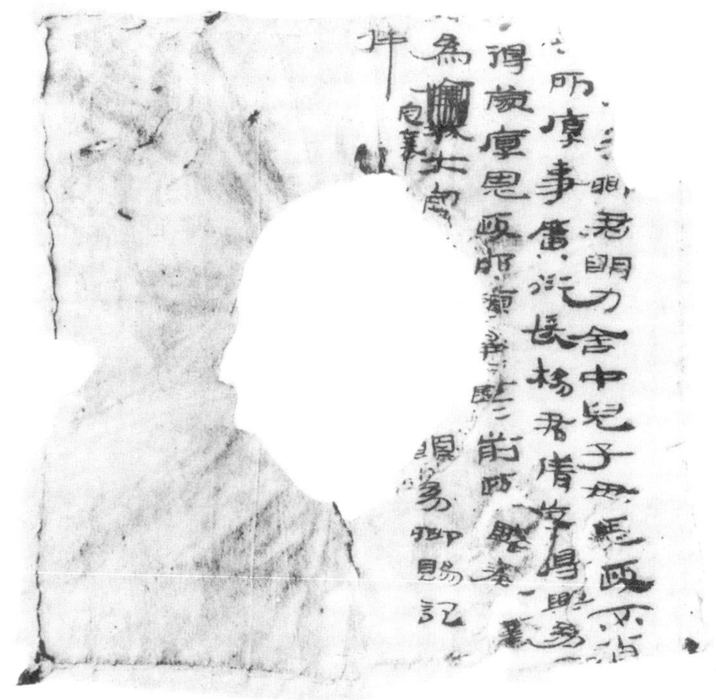

幼卿君明力舍中儿子毋恙。政不肖。
所厚事。广衍长杨君倩。故得与幼
得蒙厚恩。政叩头幸甚幸甚。前政数奏书。
为金城定襄大守。愿幼卿赐记
拜□。

政伏地再拜言。
幼卿君明足下。毋
久不明相见。夏时政伏地愿。幼卿君明。适衣进食。察郡事。政
居成乐五岁余。未得是道里远辟回往来希。官薄身贱。书不通。叩头叩头。因
同吏郎今置为敦煌角泽侯守丞王子方。政叩头愿。幼卿幸为存。请□君倩
不曾御不。北边居陋。未有奉奏。叩头叩头。大守任君。正月中病。不幸□大守
□政得长奉闻幼卿君明严教。舍中诸子毋恙。政幸甚。谨因。
幼卿君明足下。因请长宾子仲少宾诸弟。

破城子出土①②
南阳郡戍卒。
皂布单衣一领。

①

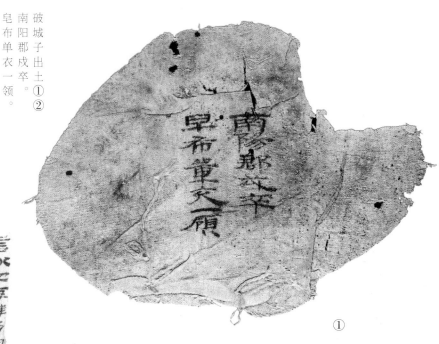

掖屋兰候
印书
张掖长
□君

②

大湾出土③④
赵国易阳。神爵三年。戍
卒皂布複袍一领。麻
重十二□三□杨□
成少负造邯郸守丞
贾掾□令史忠临。

③

为书遗。●长□赏之米财。予钱可以市者
孙少君遗粳米肉廿斤。
府幸长□遗脯一御史之长安□□以小笥盛之。●毋以□脯野羊脯赏之也。
信伏地再拜多问。
次君君平足下。厚遗信非自二。信幸甚。寒时信愿。次君君平。近衣强酒食。察事毋自易。信幸甚。薄礼
□絮一。信再拜进君平。来者数寄书。使信奉闻次君君平毋恙。信幸甚。伏地再拜再拜。
次君君平足下。●初叩头多问。
丈人寒时。初叩头愿。丈人近衣。强□酒食。初叩头幸甚幸甚。初寄□赣袜布二两□□者。丈人数寄书。
使初闻丈人毋恙。初叩头幸甚幸甚。丈人遗初手衣。已到。

④

长沙仰天湖楚墓竹简

一新智衣。一絟智衣。皆又蔓足衣。新衣句

市佑之一足衣。游纯柯縞之椿。句

铁供一十二供。皆又锦谨。

足布之罗二偶。

何马之足衣。锦纯锦椿。

一越镐剑。青拘细担。龙之缘。促迻游之缪。

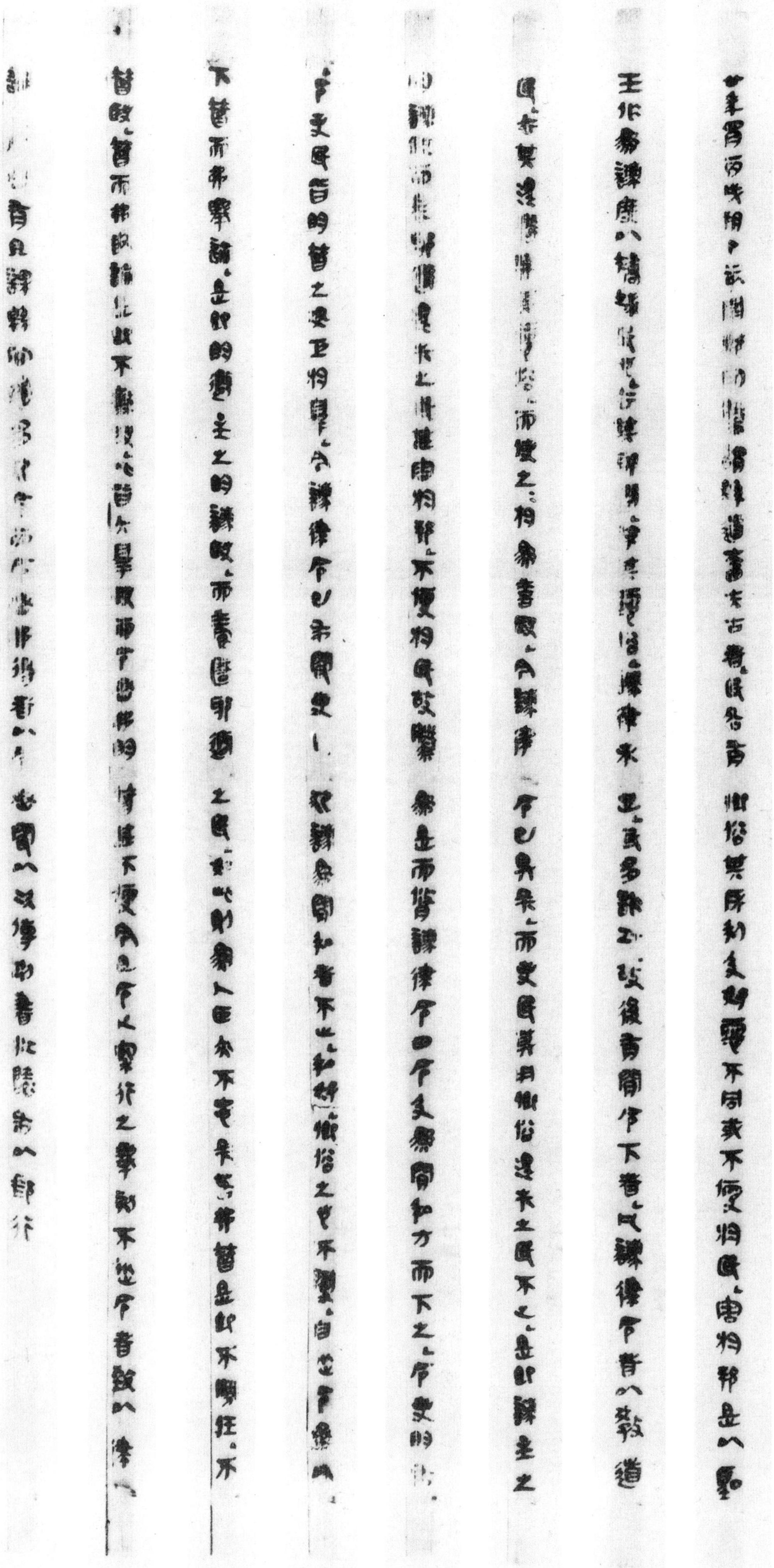

云梦睡虎地秦墓竹简

语书

廿年四月丙戌朔丁亥。南郡守腾谓县道啬夫。古者民各有乡俗。其所利及好恶不同。或不便于民。害于邦。是以圣/王作为法度。以矫正民心。去其邪僻。除其恶俗。法律未足。民多诈巧。故后有间令下者。凡法律令者。以教导/民。去其淫僻。除其恶俗。而使之之于为善也。今法律令已具矣。而吏民莫用。乡俗淫泆之民不止。是即废主之/明法也。而长邪僻淫泆之民。甚害于邦。不便于民。故腾为是而修法律令田令及为间私方而下之。令吏明布。/令吏民皆明知之。毋距于罪。今法律令已布。闻吏民犯法为间私者不止。私好乡俗之心不变。自从令丞以/下知而弗举论。是即明违主之明法也。而养匿邪僻之民。如此则为人臣亦不忠矣。若弗知。是即不胜任。不/智也。知而弗敢论。是即不廉也。此皆大罪也。而令丞弗明知。甚不便。今且令人案行之。举劾不从令者。致以律。/论及令丞。又且课县官。孰多犯令而令丞弗得者。以令丞闻。以次传。别书江陵布。以邮行。

秦律十八种

决。令县复兴徒为之。而勿计为徭。卒岁而或决坏。过三堵以上。县葆者补缮之。三堵以下。及虽/未盈卒岁而或盗决道出入。令苑辄自补缮之。县所葆禁苑之傅山远山。其土恶不能雨。夏有/坏者。勿稍补缮。至秋毋雨时而以徭为之。其近田恐兽及马牛出食稼者。县啬夫材兴有田其旁/者。无贵贱。以田少多出人。以垣缮之。不得为徭。县毋敢擅坏更公舍官府及廷。其有欲坏更也。必/谳之。欲以城旦舂益为公舍官府及补缮之。为之。勿谳。县为恒事及谳有为也。吏程功。赢/员及减员自二日以上。为不察。上之所兴。其程功而不当者。如县然。度功必令司空与匠度之。毋独令/匠。其不审。以律论度者。而以其实为徭徒计。

效律

效丿为都官及县效律。其有赢不备。物值之。以其价多者罪之。勿累。丿官啬夫穴吏皆共尝不备之货而入赢。丿衡石不正。十六两以上。赀官啬夫一甲。不盈十六两到八两。赀一盾。桶不正。二丿升以上。赀一甲。不盈二升到一升。赀一盾。丿斗不正。半升以上。赀一甲。不盈半升到少半升。赀一盾。半石不正。八两以丿上。钧不正。四两以上。斤不正。三铢以上。半斗不正。少半升以上。参不正。六丿分升一以上。升不正。廿分升一以上。黄金衡累不正。半铢上。赀各一盾。丿数而赢不备。值百一十钱以到二百廿钱。谇官啬夫。过二百廿钱以到千一百。

秦律杂抄

六匹以下到一匹。赀一盾。●特马舍乘车马后。毋敢炊饬。犯令。赀一盾。已驰马不去车。/赀一盾。●肤吏乘马迟胔。及不会膚期。赀各一盾。马劳课殿。赀厩啬夫一甲。/
令丞佐史各一盾。马劳课殿。赀皂啬夫一盾。/牛大牝十。其六毋子。赀啬夫佐各一盾。●羊牝十。其四毋子。赀啬夫佐各一盾。●牛羊课。/匿敖童。及占瘩不审。典老赎
耐。●百姓不当老。至老时不用请。敢为诈伪者。赀/二甲。典老弗告。赀各一甲。伍人户一盾。皆迁之。●傅律/徒卒不上宿。署君子屯长仆射不告。赀各一盾。宿者已上守
除。擅下。人赀二甲。/穴募归。辞曰日已备。致未来。不如辞。赀日四月居边。●军新论攻城。城陷尚有迟。

法律答问

同母异父相与奸。何论。弃市。/甲乙交与女子丙奸。甲乙以其故相刺伤。丙弗知。丙论何也。毋论。/女子为隶臣妻。有子焉。今隶臣死。女子别其子。以为非隶臣子也。问女子论何也。或黥颜頯为隶妾。或曰完。完之当也。/以其乘车载女子。何论。赀二甲。以乘马驾私车而乘之。毋论。/臣邦人不安其主长而欲去夏者。勿许。●何谓夏。欲去秦属是谓夏。/真臣邦君公有罪。至耐罪以上。令赎。伺谓真。臣邦父母产子。及产他邦。而是谓真。●何谓夏子。●臣邦/父秦母谓也。/诸侯客来者。以火炎其衡軛。炎之何。倘诸侯不治骚马。骚马虫皆丽衡軛鞅韅辕靷。是以炎之。●何谓亡券而害。●亡校券右为害。/使诸侯外臣邦。其邦徒及伪吏不来。弗坐。●何谓邦徒伪使。●徒吏与偕使而弗为私舍人。是谓邦徒伪使。

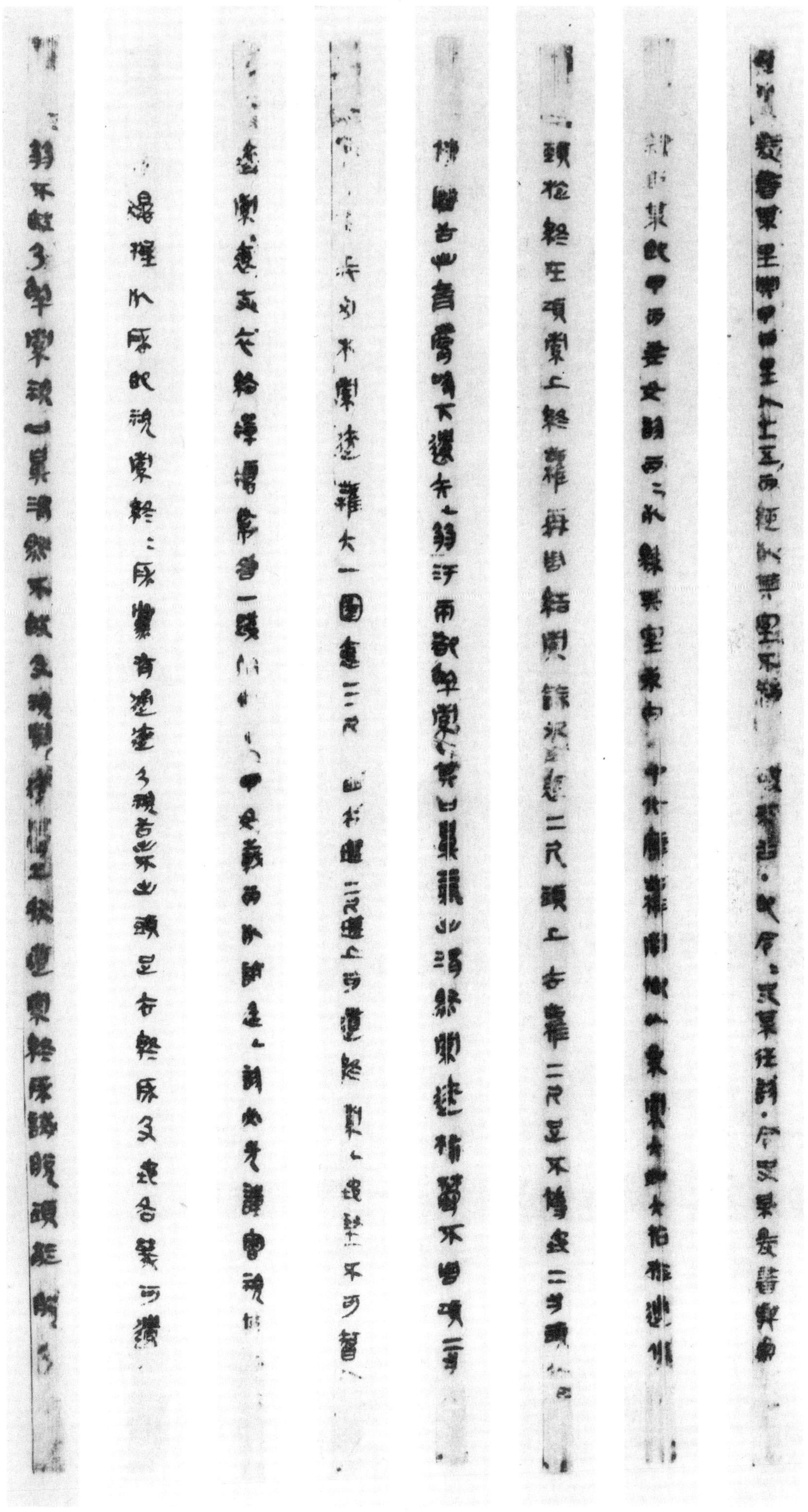

封诊式

经死爰书。某里典甲曰。里人士伍丙经死其室。不知故。来告。●即令令史某往诊。●令史某爰书。与牢/隶臣某即甲丙妻女诊丙。丙尸悬其室东内中北辟权。南向。以枲索大如大指。旋通系/颈。旋终在项。索上终权。再周结索。余末袤二尺。头上去权二尺。足不傅地二寸。头背/傅壁。舌出齐唇吻。下遗矢溺。污两脚。解索。其口鼻气出喟然。索迹椒郁。不周项二寸。/他度毋兵刃木索迹。权大一围。袤三尺。西去堪二尺。堪上可由终索。地坚。不可知人/迹。索袤丈。衣络禅襦裙各一。践□。即令甲女载丙尸诣廷。诊必先谨审视其迹。/当独抵尸所。即视索终终所倘有通迹。乃视舌出不出。头足去终所及地各几何。遗矢/溺不也。乃解索。祝口鼻喟然不也。及视索迹郁之状。由索终所试脱头。能脱。乃

为吏之道

一 ●凡为吏之道。 二 欲富太甚。贫不可得。 三 毋罪毋罪可赦。 四 敬而起之。 五 ●凡治事。敢为固。遏私图。画局陈棋以为

必精洁正直。 欲贵太甚。贱不可得。 孤寡穷困。 惠以聚之。 藉。肖人慑心。不敢徒语恐见恶。

慎谨坚固。 毋喜富。 老弱独转。 宽以治之。 凡戾人。表以身。民将望表以至真。表若不正。

审悉毋私。 毋恶贫。 均徭赏罚。 有严不治。 民心将移乃难亲。

微密纤察。 正行修身。祸去福存。 傲悍戮暴。 与民有期。 操邦柄。慎度量。来者有稽莫敢忘。贤鄙

安静毋苛。 吏有五善。 垦田仞邑。 安驺而步。 既乂。禄位有绩孰乱上。

审当赏罚。 一曰忠信敬上。 赋敛毋度。 毋使民惧。 邦之急在体级。掇民之欲政乃立。上毋间

严刚毋暴。 二曰精廉毋谤。 城郭官府。 疾而毋諰。 却。下虽善欲独何急。

孙氏兵法·行军

苇小林翳荟。可伏匿者。谨覆索之。奸之所处也。敌近而静者。恃其险也。敌远而挑战者。/欲人之进者。其所居者。易。营/军者也。辞卑而备益者。进也。辞强而进驱者。退也。轻车先出居侧者。阵者。无约而/请和者。谋也。奔走陈兵者。期也。半进半退者。诱也。杖而立者。饥也。汲役先饮者。渴也。/见利而不进者。劳倦也。鸟□者。虚也。夜呼者。恐也。军扰者。将不重也。/穷寇也。□□间间□言人者。失其众者也。数赏者。窘也。数罚者。/困也。卒未亲附而罚之。则不服。不服则难用也。卒已搏亲而罚不行。则不用。故合之以文。齐之以武。是谓必取。/令素行以教其民者。民服。素不行以教其民。

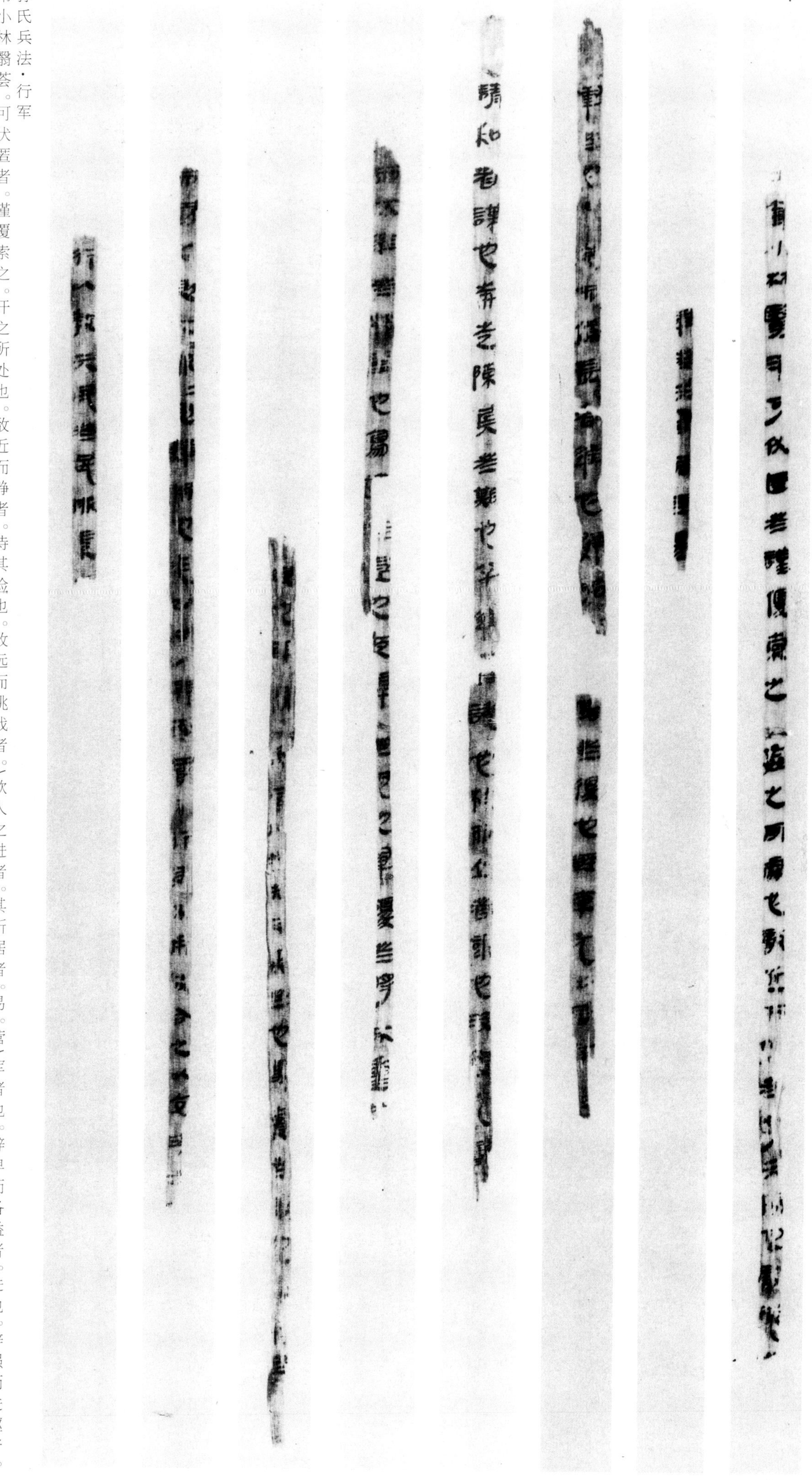

孙氏兵法·四变

城有所不攻。地有所不争。君令有。乛涂之所不由者。曰。浅入则前事不信。深入则后利不接。动则不利。立则囚。如此者。乛军之所不系者。曰。两军交和而舍。计吾力。足以破其军。权其将。远计之。有奇势。乛将。如此者。军虽可系。弗系也。乛城之所不攻者。曰。计吾力。足以拔之。拔之而不及利于前。得之而后弗。乛于前。利得而城自降。利不得而不为害于后。若此者。城虽可攻。弗攻也。乛地之所不争者。曰。山谷水□无能生者。虚。如此者。弗争。乛君令有所不行者。君令有反此四变者。则弗行也。行也。事。乛变者。则知用兵矣。

孙膑兵法·见威王

孙子见威王曰。夫兵者。非恃恒势也。此先王之傅道也。战胜。则所以在亡国而继绝世也。战/不胜。则所以削地而危社稷也。是故兵者不可不察。然夫乐兵者亡。而利胜者辱。兵非所乐/也。而胜非所利也。事备而后动。故城小而守固者。有委也。卒寡而兵强者。有义也。夫守而/无委。战而无义。天下无能以固且强者。尧有天下之时。黜王命而弗行者七。夷有二。中国四。/素佚而致利也。战胜而强立。故天下服矣。昔者。神农战斧遂。黄帝战蜀禄。尧伐共工。舜伐判/□□而并三苗。/管。汤放桀。武王伐纣。帝奄反故周公践之。故曰。德不若五帝。而能不及三王。智不若周公。曰。/我将欲积仁义。式礼乐。垂衣裳。以禁争夺。此尧舜非弗欲也。不可得。故举兵绳之。

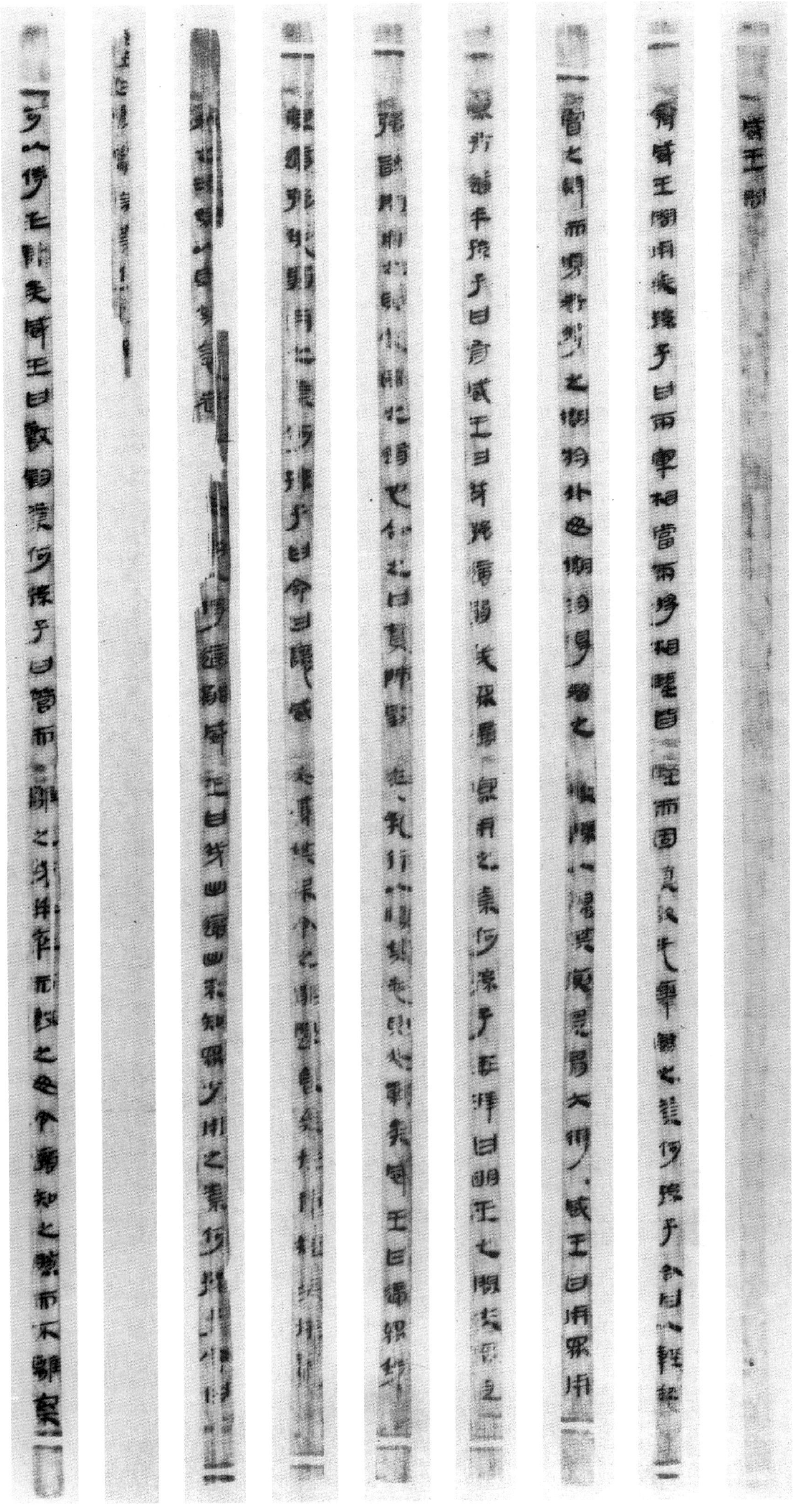

孙膑兵法·威王问

威王问ㄧ齐威王问用兵孙子。曰。两军相当。两将相望。皆坚而固。莫敢先举。为之奈何。孙子答曰。以轻卒ㄧ尝之。贱而勇者将之。期于北。毋期于得。为之微阵以触其侧。是谓大得。威王曰。用众用ㄧ寡有道乎。孙子曰。有。威王曰。我强敌弱。我众敌寡。用之奈何。孙子再拜曰。明王之问。夫众且强。犹问用之。则安国之道也。命之曰赞师。毁卒乱行。以顺其志。则必战矣。威王曰。敌众我寡。敌强我弱。用之奈何。孙子曰。命曰让威。必藏其尾。令之能归。长兵在前。短兵在□。ㄧ为之流弩。以助其急者。□□毋动。以待敌能。威王曰。我出敌出。未知众少。用之奈何。孙子曰。命曰。ㄧ威王曰。系穷寇奈何。孙子曰。ㄧ可以待生计矣。威王曰。系均奈何。孙子曰。营而离之。我并卒而系之。毋令敌知之。然而不离。案。

孙膑兵法·地葆

孙子曰。凡地之道。阳为表。阴为里。直者为纲。屈者为纪。纪纲则得。阵乃不惑。直者毛产。屈〡者半死。凡战地也。日其精也。八风将来。必勿忘也。绝水。迎陵。逆流。居杀地。迎众树者。均举〡也。五者皆不胜。南阵之山。生山也。东阵之山。死山也。东注之水。生水也。北注之水。死水。不流。死水也。〡五地之胜。曰。山胜陵。陵胜阜。阜胜阵丘。阵丘胜林平地。五草之胜。曰。藩。棘。椐。茅。莎。五壤之胜。青〡胜黄。黄胜黑。黑胜赤。赤胜白。白胜青。五地之败。曰。谿。川。泽。津。五地之杀。曰。天井。天宛。天离。天隙。天〡柖。五墓。杀地也。勿居也。勿□也。春毋降。秋毋登。军与阵皆毋政前右。右周毋左周。地葆二百

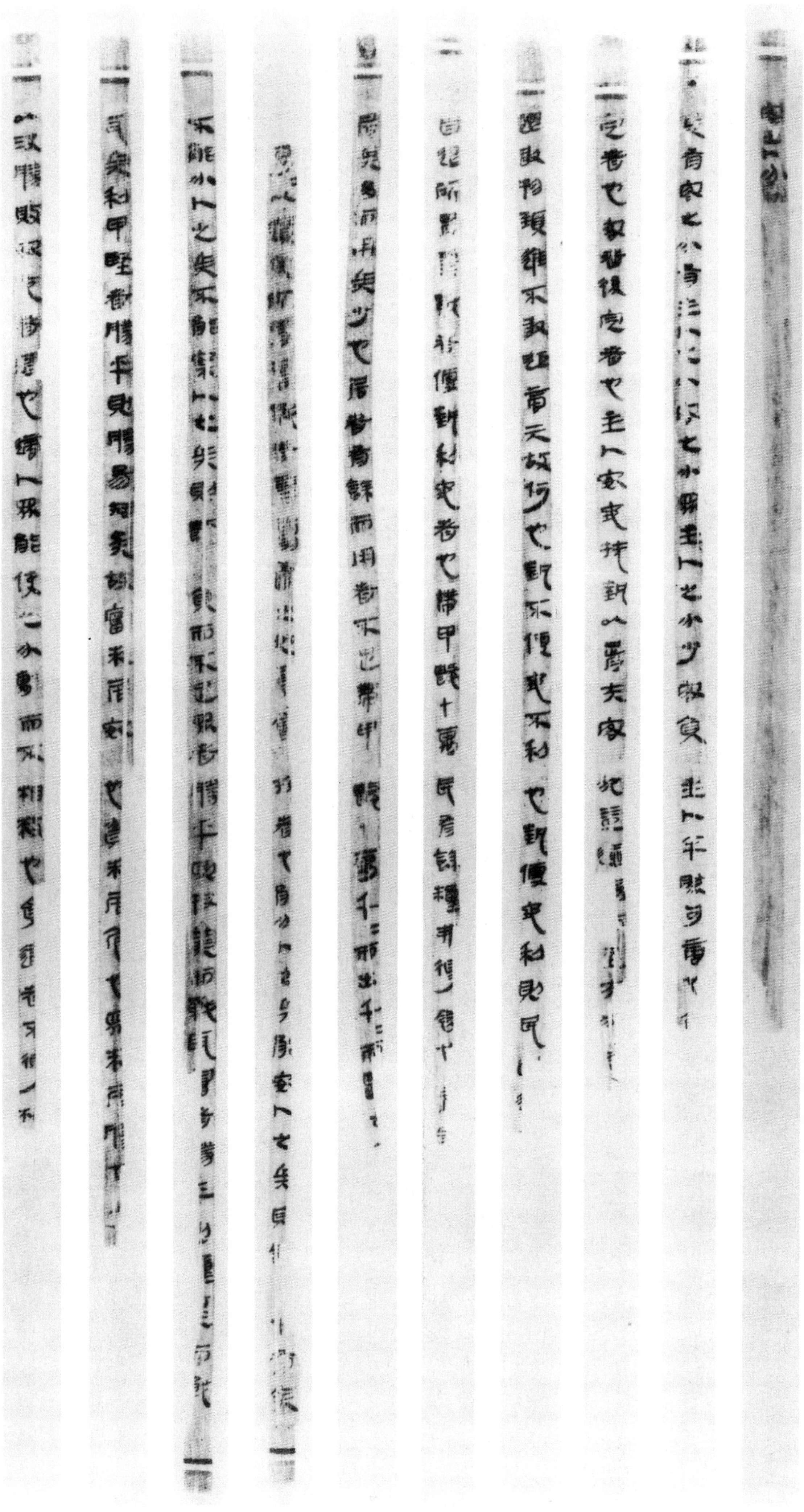

孙膑兵法·客主人分

客主人分／兵有客之分。有主人之分。客之分众。主人之分少。客倍主人半。然可敌也。负。／定者也。客者。后定者也。主人安地抚势以胥。夫客犯隘逾险而至。夫犯隘。／退敢刎颈。进不敢拒敌。其故何也。势不便。地不利也。势便地利。则民自进。／自退。所谓善战者。便势利地者也。带甲数十万。民有余粮。弗得食也。有余。／居兵多而用兵少也。居者有余而用者不足。带甲数十万。千千而出。千千而继之。／万万以遗我。所谓善战者。善翦断之。如□会挠之者也。能分人之兵。能按人之兵。则锱铢而有余。／不能分人之兵。不能按人之兵。则数倍而不足。众者胜乎。则投算而战耳。富者胜乎。则量粟而战／耳。兵利甲坚者胜乎。则胜易知矣。故富未居安也。贫未居危也。众未居胜也。少未居败也。／以决胜败安危者。道也。敌人众。能使之分离而不相救也。受敌者不得相

I 髹画其槭一。长二尺六寸。广尺七寸。\髹画其槭二。广各二尺。长各三尺二寸。\右方平般三。其槭四。\髹☐食奁一合。盛稻食。\右方奁一合。\髹画椑匾径八寸卌。其七盛乾定椁首。卅一盛脍载。\右方椑匾卌。\髹画木变机一。\木五彩画屏风一。长五尺。高三尺。\木髹画大奁一合。

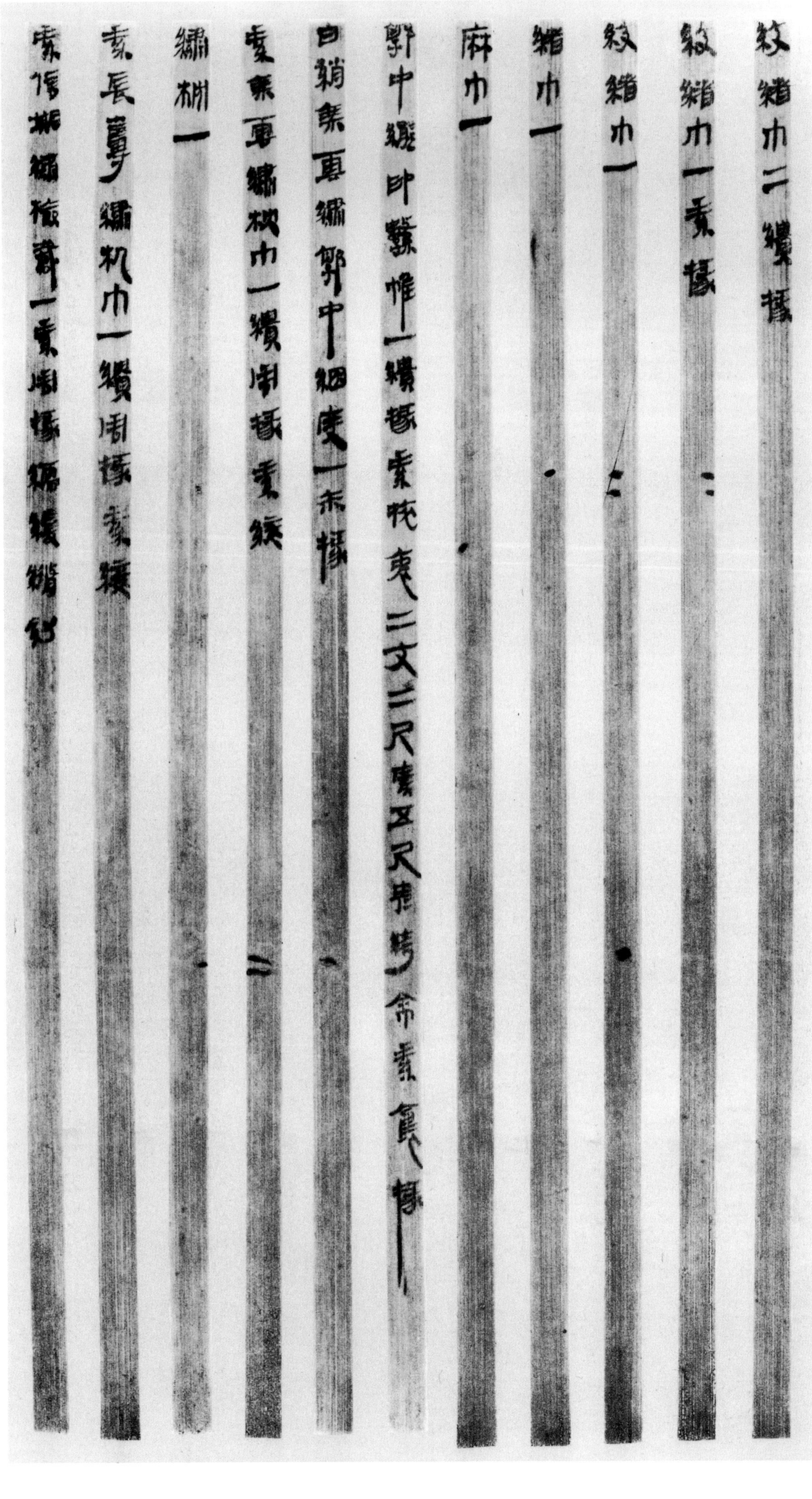

Ⅱ

纹纻巾二。缋缘。/纹纻巾一。素缘。纹纻巾一。/纻巾一。/麻巾一。/椁中绢印缕帷一。缋缘素绞衷。二丈二尺。广五尺。青绮紒。素裹缘。/白绡乘云绣椁中絪度一。赤掾。/素乘云绣枕巾一。缋周缘素緁。/绣枕。/素长寿绣机巾一。缋周缘素緁。/素信期绣㐌戴一。素周缘繻缓绦饰。

纲。抵领乡。揗拯匡。覆周环。下缺盆。过醴津。陵勃海。上常\山。入玄门。御交筋。上欱精神。乃能久视而与天地侔存。\交筋者。玄门中交脉也。如得操揗之。使体皆乐养。悦怿\以好。虽欲勿为。作相呴相抱。以恣戏道。一曰。气上面热。徐呴。二\曰。乳坚鼻汗。徐抱。三曰。舌薄而滑。徐傅。四曰。下液股湿。徐

阴之道。虚而五臧。广而三咎。若弗能出朴。食之贵。静而神风。距而两峙。\参筑而毋遂。神风乃生。五声乃对。翕毋过五。致之口。收之心。四辅所\贵。玄尊乃至。饮毋过五。口必甘味。至之五臓。形乃极退。薄而肌膚。及\夫发末。毛脉乃遂。阴水乃至。溅彼阳勃。坚强不死。饮食服体。此谓复奇之方。通于神明。天师之食神气之道。

敦煌汉简

□申。辛酉。壬戌。癸亥。

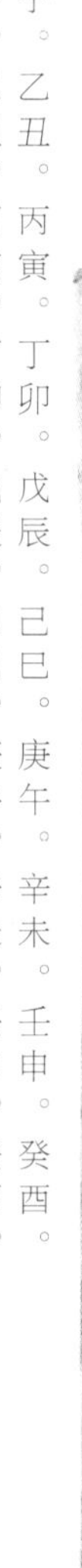

甲子。乙丑。丙□。

甲子。乙丑。丙寅。丁卯。戊辰。己巳。庚午。辛未。壬申。癸酉。

甲子。乙丑。丙寅。丁卯。戊辰。己巳。庚午。辛未。壬申。癸酉。

长□卿。

谒侯史□。所受官马食二石七斗。五月十日己卯尽己丑。备客马食。少公毋忽。

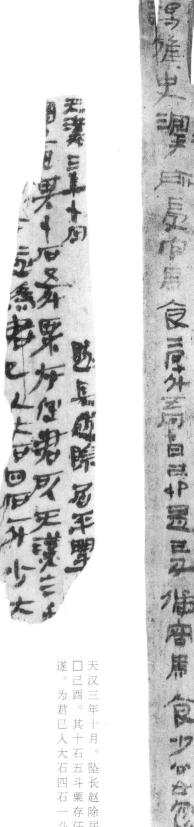

天汉三年十月。坠长赵除居平望。天汉三年

□己酉。其十石五斗粟存任君所。

遂。为君已入大石四石一斗少。大

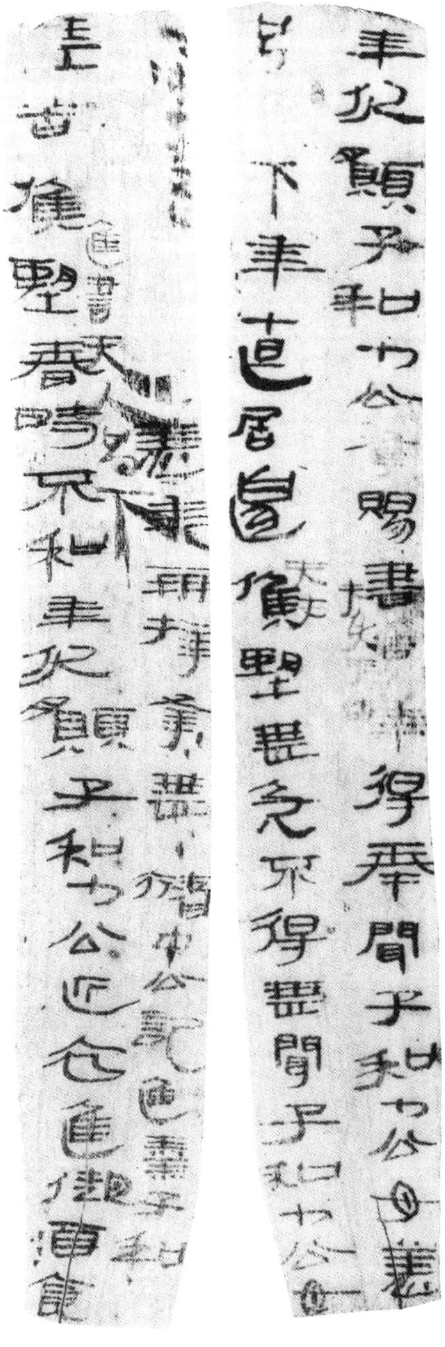

年伏愿子和少公。幸赐书告。年得奉闻子和少公毋恙。足下。年直居边。候望甚急。不得甚闻子和少公毋恙。

恙。年再拜幸甚幸甚。褚中公记进龚子和。甚苦候望。春时不和。年伏愿子和少公。近衣进御酒食。

中公伏地再拜请。

少君足下善毋恙。甚苦事。春时不

事。中公再拜幸甚幸甚。少君足下。中公伏愿少

君。不得闻少君毋恙也。中公伏愿少君时夜

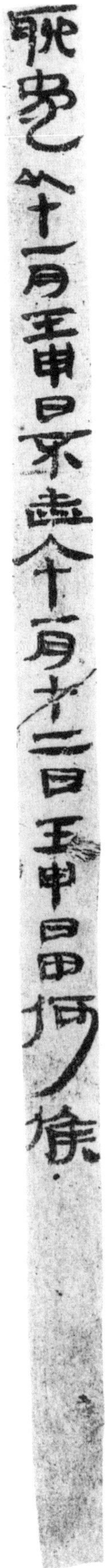

聊□以十一月壬申日不迹。（十一月十二日壬申日。田何候。

扁书亭墜显处。令尽讽诵知之。精候望。即有烽火。亭墜回度举。毋必。

本始六年三月。癸亥朔。/丁丑尽辛卯十五日。乙酉到官。

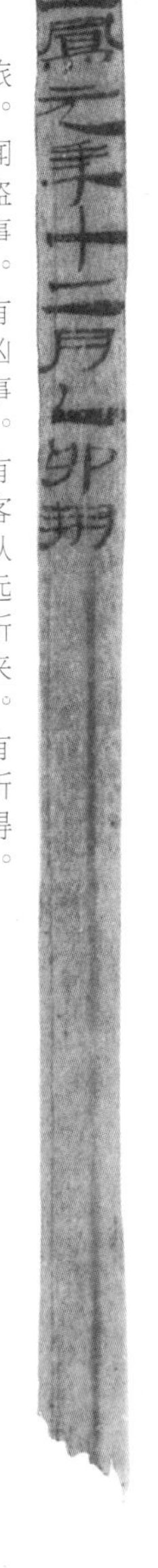

五凤元年十二月乙卯朔。

旅。闻盗事。有凶事。有客从远所来。有所得。

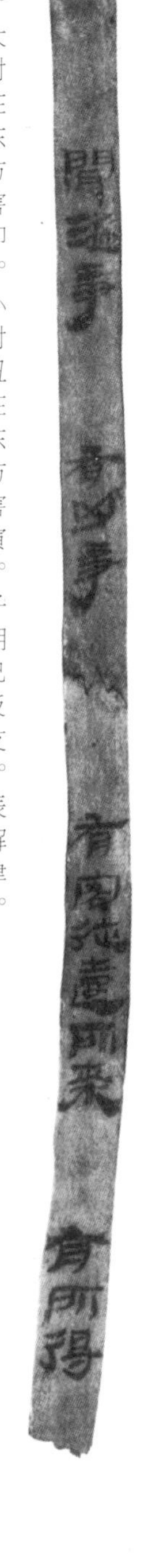

正月。大时在东方害卯。小时丑在东方害寅。子朔巳反支。辰解律。

久不相见。卒然相党。以欢道故。以请语。当此之时。臣窃乐之。饮至四五斗。若耐男

治马伤水方。姜桂细辛皁荚附子各三分。远志五分。桔梗五分。鸡子十五枚。

诸绝。大黄主靡榖去热。葶苈。

股寒。曾载车马惊堕。血在胸中。恩与惠君方。服之廿日征下。卅日腹中毋积。胸中不复。手足不煖。通利。臣安国。

治久欬逆。胸痺。痿痺。止泄。心腹久积。伤寒方。人参紫苑菖蒲细辛姜桂蜀椒各一分。乌喙十分。皆合和。以

县承。塞亭各谨候。北塞墜即举表皆和。尽南端亭。亭长以札署表到日时。

游敖周章。黚黶黯黮。黕黝黭黯。黔黤赫赧。鯈赤白黄。

盖轑俾倪厄缚棠。辔勒鞅韅。犹黑苍。室宅庐舍楼殿堂。

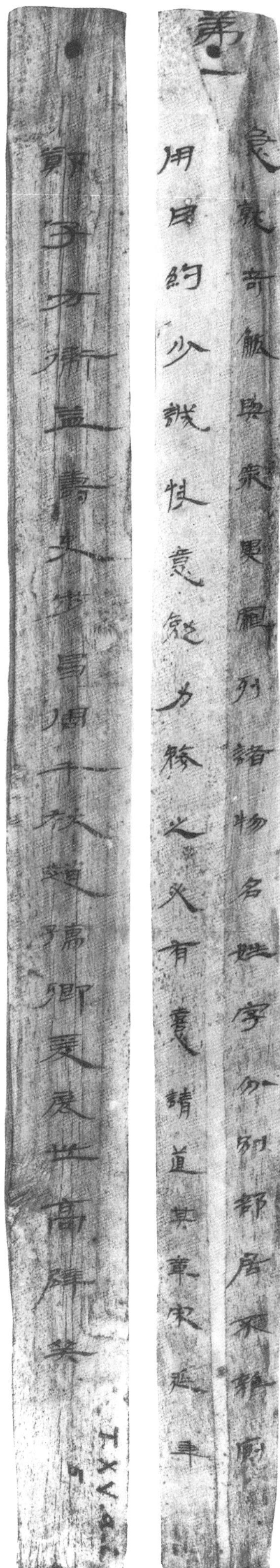

第一。急就奇觚与众异。罗列诸物名姓字。分别部居不杂厕。/用日约少诚快意。勉力务之必有憙。请道其章。宋延年。郑子方。卫益寿。史步昌。周千秋。赵孺卿。爰展世。高辟兵。

始建国天凤元年玉门大煎都兵完坚折伤簿。

兵完折伤簿。

玉门官亭。

大威关蓬。

稿矢铜鍭百。

六石系承弦一完。利汉。

显明墜药函。

大始三年闰月辛酉朔己卯。玉门都尉护众谓千人尚尉承无。署就

神爵四年四月甲午朔辛丑。凌墜长充世。

七月乙丑。日出二干时。表一通至。其夜食时。苣火一通。从东方来。杜充见。

三人负粟步昌。人二反致六橐。反复百八十八里百廿步。率人行六十二里二百卌步。

四月庚子。丞吉下中二千中二千郡大守诸侯相。承书从事下当用者。

隧长常贤充世绾祯等。杂搜索部界中问。戍卒王韦等十八人。皆相证。

官告广新隧长。□

万岁东西部。吞胡东部侯长。隧次走行。

出糜二斛。元和四年八月五日。僦人张季元附平望西部侯长宪。

入正月食穬麦三石。建武廿六年正月甲午。安汉隧长孙忠代王育受音

入正月奉穬麦三石。入三石。建武廿六年正月□□。安汉隧长代王育受音

玉门官隧次行。∕永和二年五月戊申朔廿九日丙子。虎猛侯长异。叩头死罪敢言之。

官录曰。今朝宜秋卒胡孙诣官。□□虎猛卒冯国之东部。责

边塞卒徒。不得去离亭尺寸。∕代敌卒有不然。负罚当所请

入西书二封。∕一封中部司马诣平望侯官。

一封中部司马诣阳关都尉府。∕十二月丙辰。日下铺时受旅故卒张永。日下铺附□奸隧长张叩。

平望侯长刑珍附马行。

凌胡隧厌胡隧广昌隧各请。输札两行隧五十。绳廿丈。须写下诏书。
凌胡以次写传至广昌县。便处令都尉到承可得。

从□一狗值石五斗。从诛虏卒寿明七斗。从卒王少曼。
从卒陶阳五斗。从掾受五斗。阳五斗。

敢言之之林之之
龙勒长林丞禹叩头死罪死
簿书一封龙勒长之印

西部侯长治所谨移。九月卒徒及守狗当禀者人名。各如

吐汜以以傅子
汜当叩头死罪
永永永苍人颉作

建武十九年四月一日甲寅。玉门鄣尉戎告侯长晏。到任

入正月奉穬麦一斛。建武廿二年闰月廿六日癸巳。平望朱爵隧长宋力右受尉史仁。

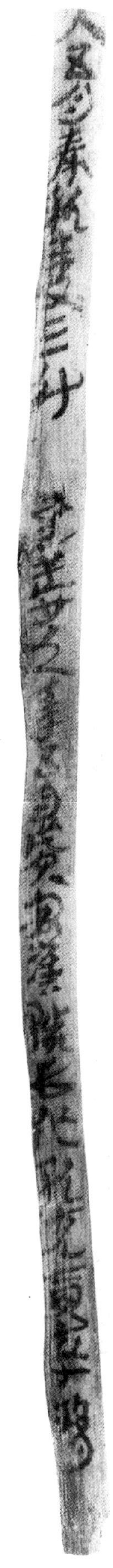

入五月奉秔麦三斗。建武廿六年五月戊寅。安汉隧长代孔充受卒移。

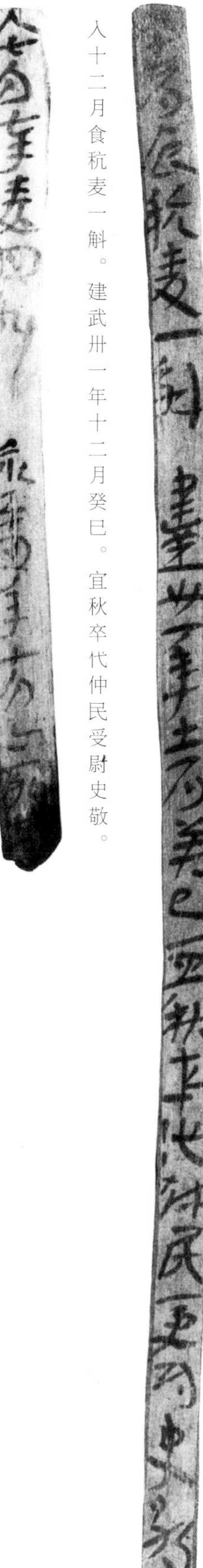

入十二月食秔麦一斛。建武卅一年十二月癸巳。宜秋卒代仲民受尉史敬。

入七月奉麦四斛。永平四年十月乙亥。

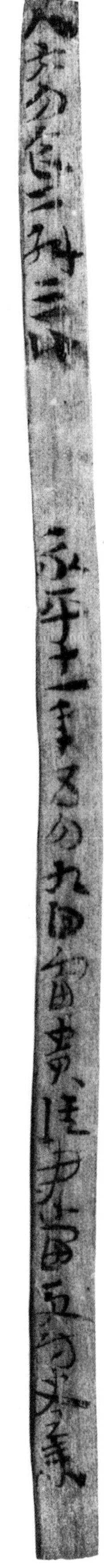

入六月食二斛三斗。永平十一年五月九日。富贵徒尹当受尉史义。

玉门侯造史龙勒周生萌伉健。可为官士吏。

将军令逢檄还令。宜为檄告贾史便内客玉门。宜即日。

可以殄灭诸反国立大功。公辅之位。君之常有

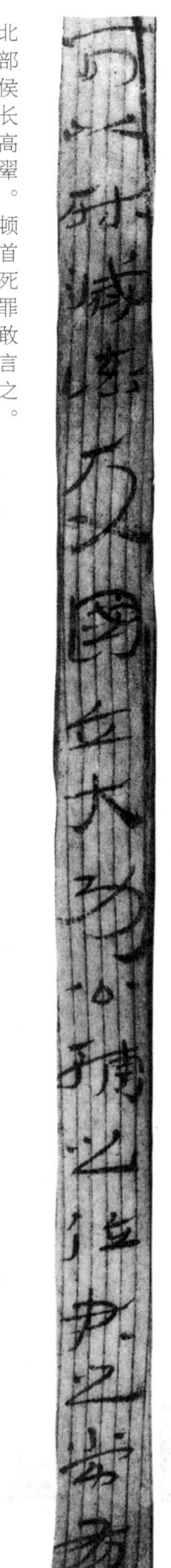

北部侯长高翟。顿首死罪敢言之。

卒李奴过符空缺。当以时备。亿官兵守御至重嘱。

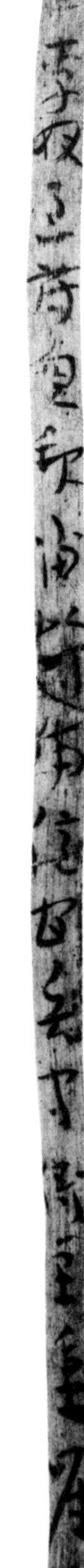

不得以时行。似故为之。当如何如何。宋君度耐何日发乎。竟不□之。

李文通田可取者取之。平井不可。今不得复往也。今当为府作。未知之。勿为人为先此事也。勿逼□申卒翁何汪左子经目□

●子孝。文通□姚子我。
●自爱自爱。
●二月三日。奉乾□。已得□

为君子。田章对曰。臣闻之。天之高万万九千里。地之广亦与之等。岳□谿谷。南起江海。震

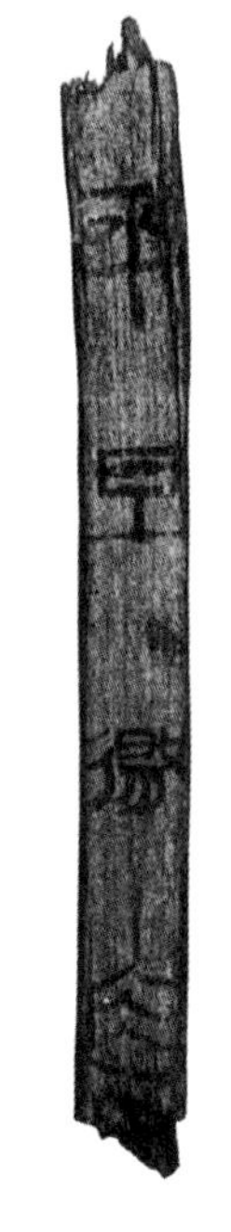

平旦徼迹

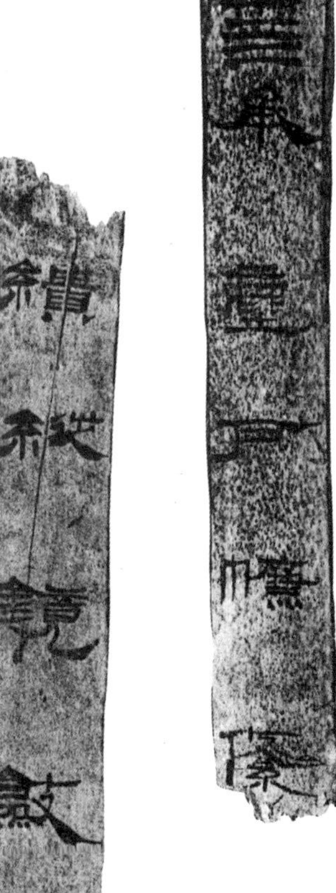

第十四。承尘户廉条缋纵。镜敛疏比各有工。责薰脂粉膏泽筩。

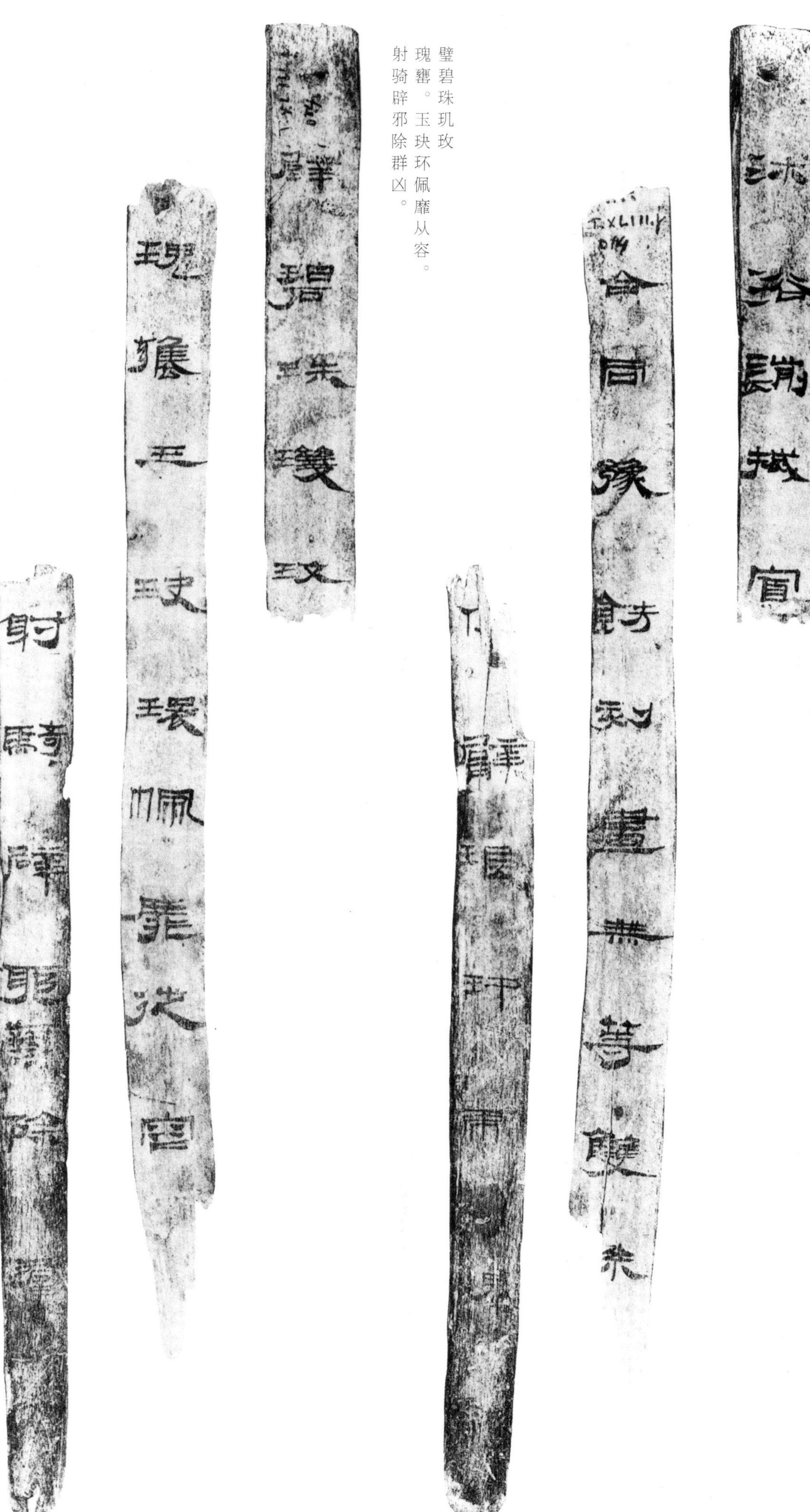

沐浴揃灭寡
合同。豫饰刻画无等双。系
臂琅玕虎魄龙。

璧碧珠玑玫
瑰罋。玉玦环佩靡从容。
射骑辟邪除群凶。

律曰。诸使而传不名。取卒甲兵禾稼簿者。皆勿敢擅予。

永光五年四月甲戌朔己卯。己
□□敢言之。

驰之。言。都毋狗。至今□未来。不知内状。都故发使史问长公。
具言。毋狗。衣有敝。即令春不来者。寄可知效毂。予公子

日不显目兮黑云多。月不可视兮风飞沙。从兹蒙水成江河。周流灌注兮转扬波。
壁柱颠倒亡相加。天门狭小路滂沱。无因以上如之何。典章教诲兮诫难过。

止奸隧长亦宣。今调守当会侯长。代张彰。

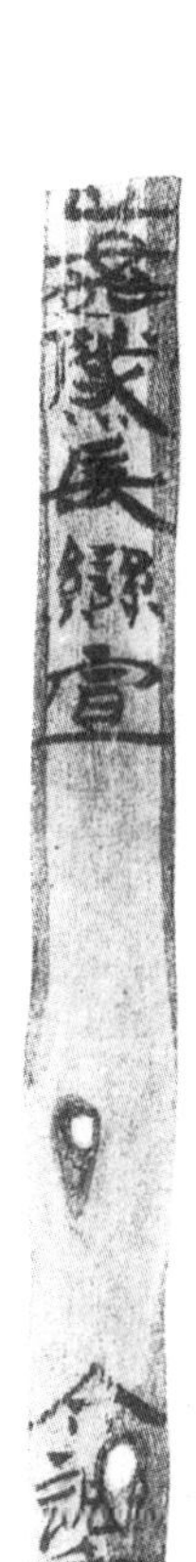

捕虏卒儿乐。七月十八日食十六斗二升。

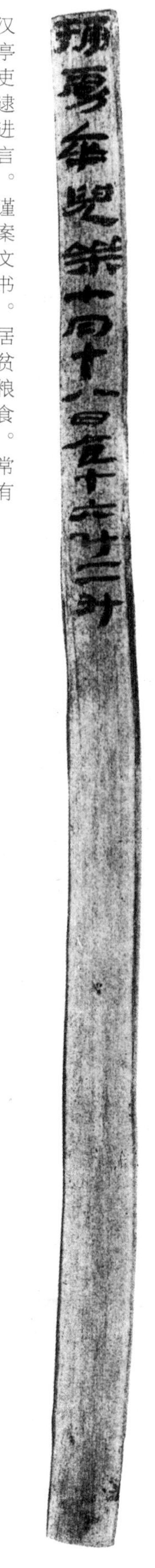

汉亭吏逯进言。谨案文书。居贫粮食。常有
去乏。近日。陈槐自问。求乞近假归。增益粮食。今

望见虏一人以上入塞。燔一积薪举二烽。夜二苣火。见十人以上在塞外。燔举如一人。□。
望见虏五百人以上若攻亭鄣。燔一积薪举三烽。夜三苣火。不满一千人以上。燔举如五百人同品。
虏守亭鄣。燔举。昼举亭上烽。夜举离合火。次亭遂和。燔举如品。

林中隧弛刑许乐。□十二日铺时附。三
□

张叩头死罪。敢言之。乃月十

杜临叩头。白君盍足下。毋恙。间久不伏前。起居得毋有他。叩头□言。前。

先取给。宜当立上。间□不在。久久至今。叩头叩头。□以阜布八尺值百六。□八尺十六□。

□□三日三夜。虚更□

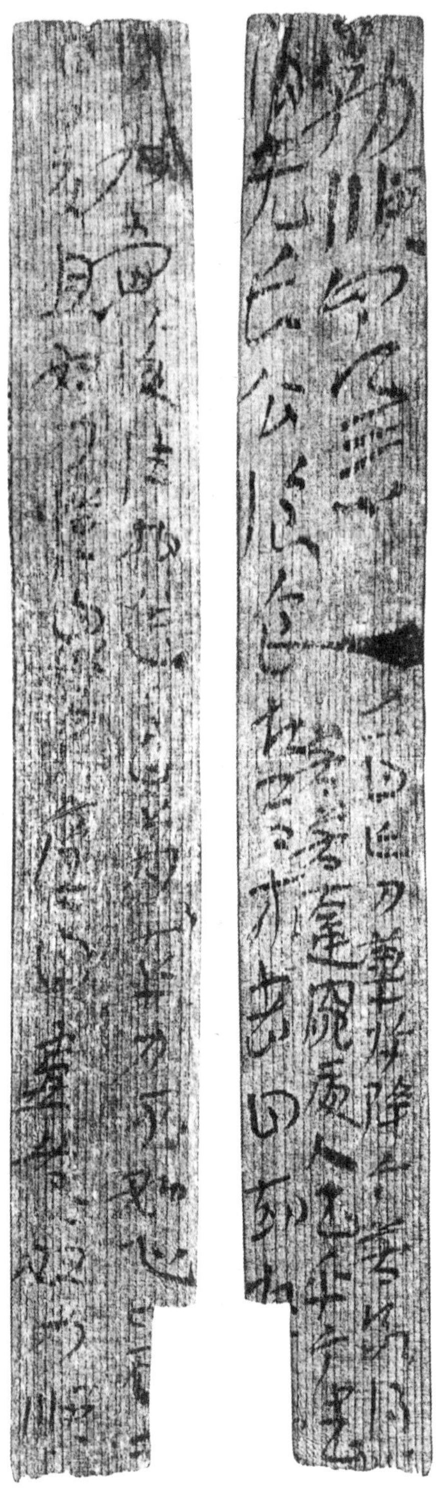

勒顺叩头言／伯先长公。餐食。顿首。求者日朝□。／二日亡刀笔。复除今苦寒。得。／苦苦达窕处人书乎。今书。

□为当复往相送食乐。奈力不如心。／□□且奴力□众□厚自爱各各奴力顺

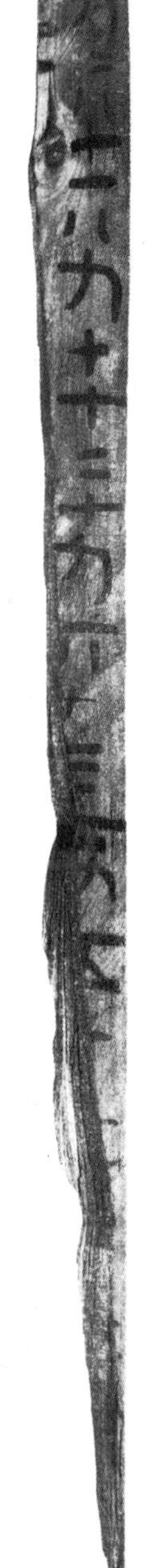

● 九九八十一。八九七十二。七九六十三。六九五十四。

卒。淮阳郡长平北庄里丁舍人。三石弩一。稿五十矢。蝱矢百五十。

入糜小石十二石。始元五年二月甲申朔丙戌。第二亭长舒受代田仓临只。

延寿。乃大初三年中。父以负马田敦煌。延寿与父俱来。田事已。

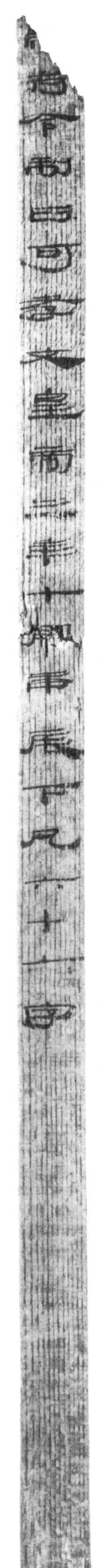

符令。制曰可。孝文皇帝三年七月庚辰。下凡六十六字。

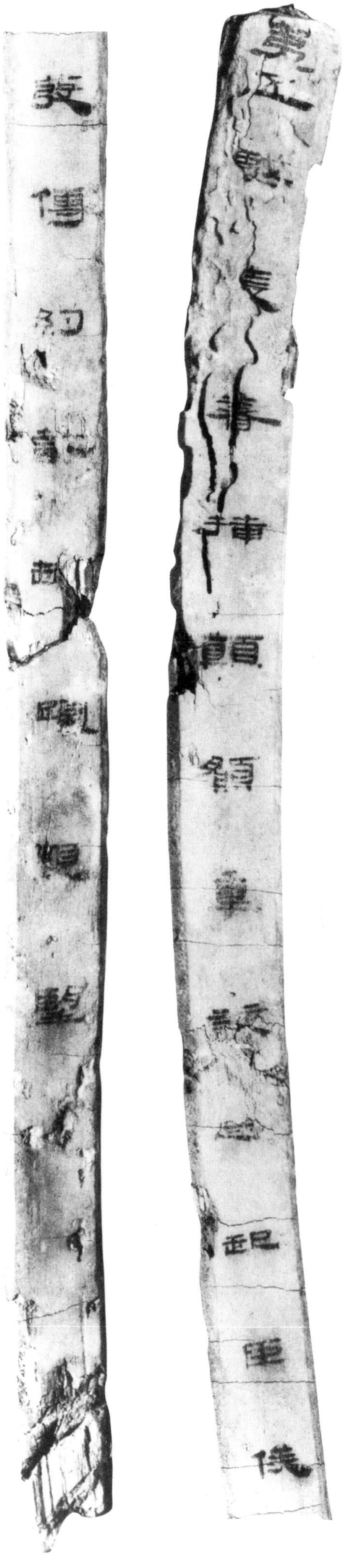

第五。□表书插。颠愿重该。己起臣仆。
发传约载。趣遽观望。

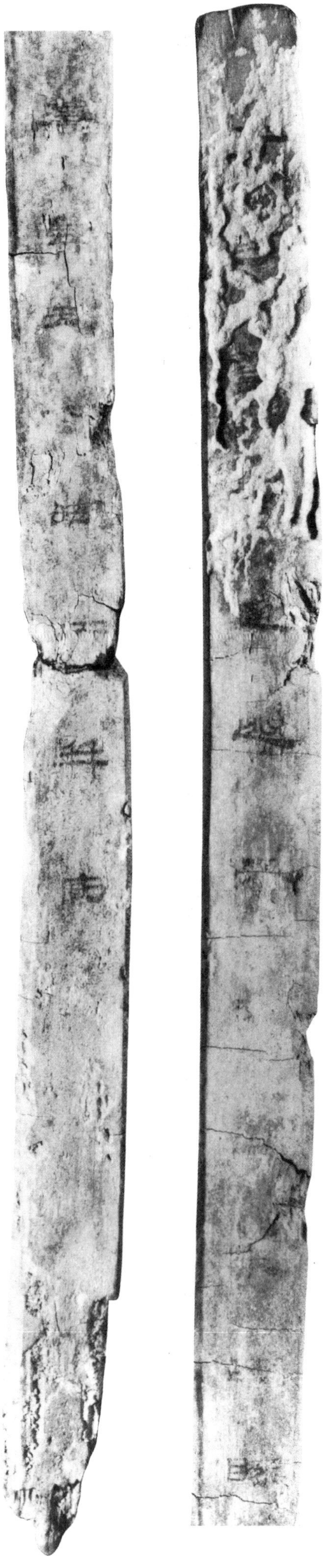

行步驾服。逋逃隐匿。往来所□。
汉兼天下。海内并厕。

地节四年三月卒兵举。
地节四年三月卒兵举。

第十六隧惊弩青绳卅二。完。

□□□类。菹醢离异。戎翟给宾。但致贡□。□□□□。

元康元年尽二年告劾副名籍。

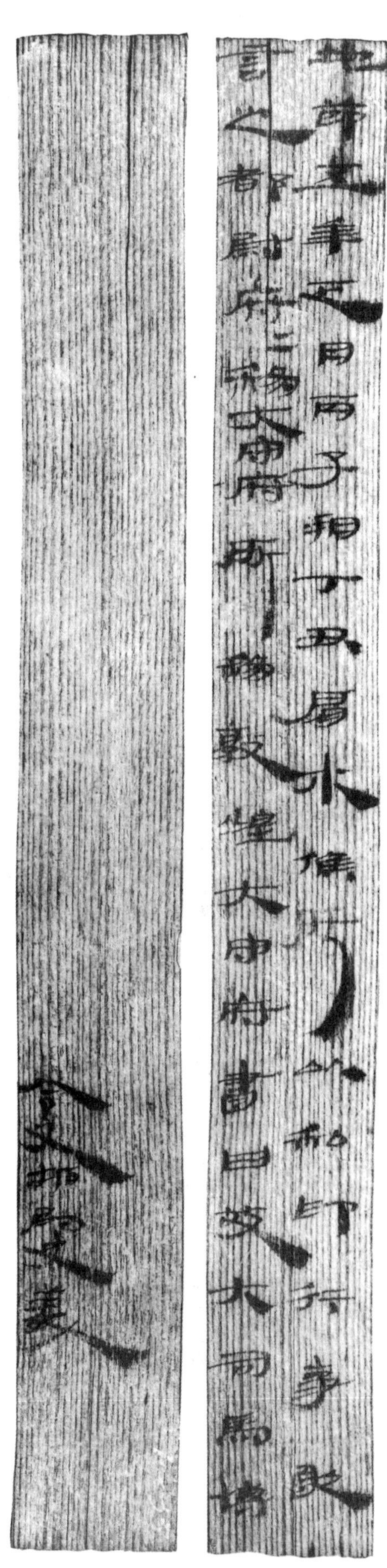

地节五年正月丙子朔丁丑。肩水侯所以私印行事。敢言之都尉府。府移大守府所移敦煌大守府书曰。故大司马博令拓尉史义。

肩水侯官元康四年十二月四时杂簿。

元康四年六月丁巳朔庚申。左前侯长禹敢言之。谨移戍卒贯卖衣财物爰书名籍一篇。敢言之。

印曰。蔺禹。

六月壬戌。金关卒延寿以来。侯史充国。

初元五年八月丙午。临桐隧长仁敢言之。官檄。

初元五年八月己酉。

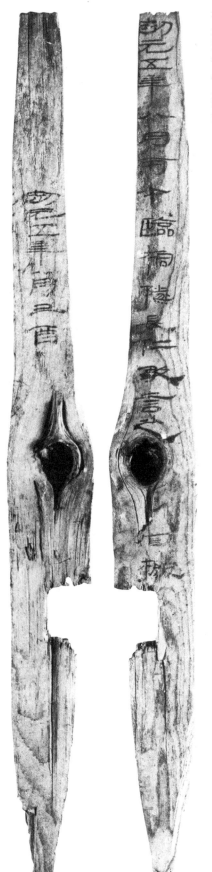

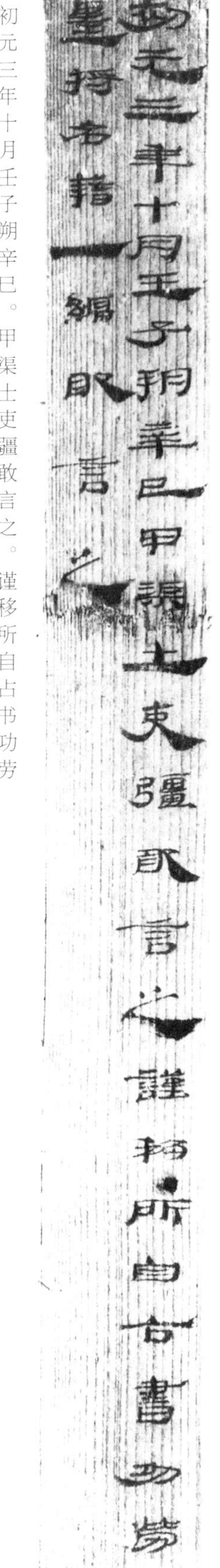

初元三年十月壬子朔辛巳。甲渠士吏彊敢言之。谨移所自占书功劳量将名籍一编。敢言之。

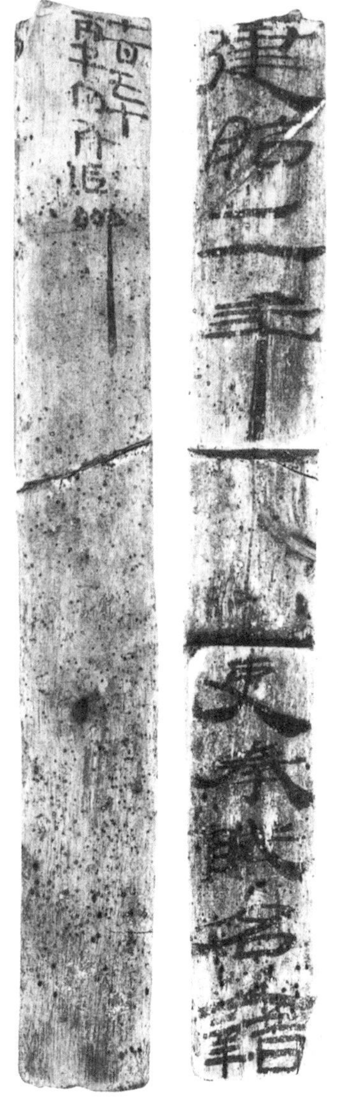

建昭二年吏奉赋名籍。七百五十。丙子。何尉张卿。

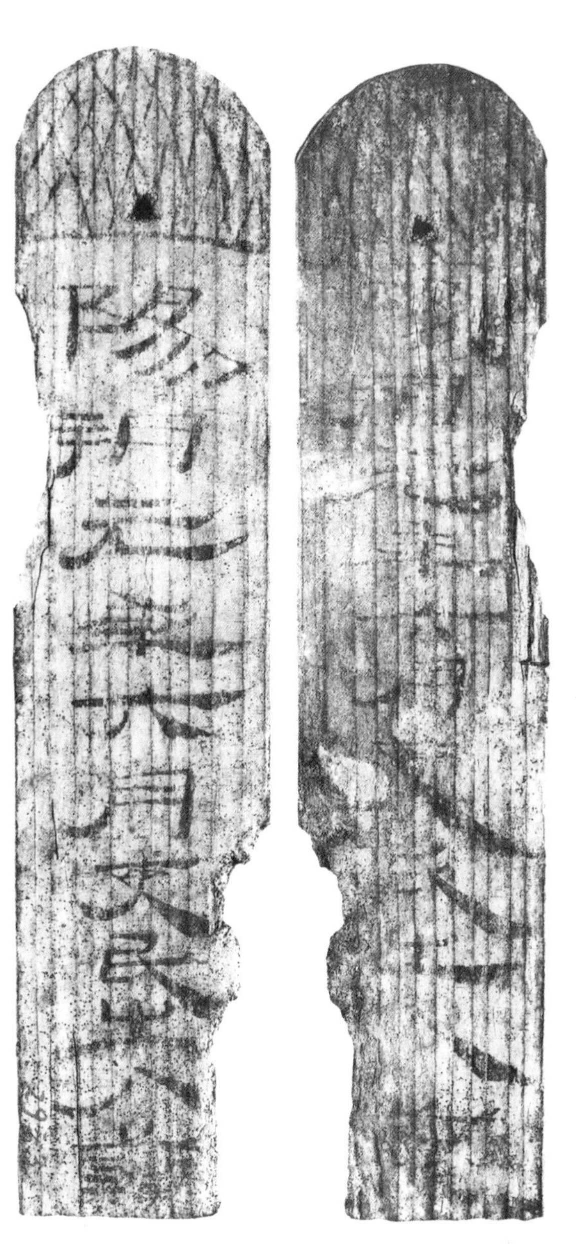

阳朔元年六月吏民出入籍。阳朔元年六月吏民出入籍。

虏守亭鄣。不得燔积薪。昼举亭上烽一烟。夜举离合苣火。次亭燔积薪如品约。

十五日。令史宫移牛籍大守府。求乐不得乐吏毋告劾。亡满三日五日以上。

荧阳秋赋钱五千。东利里父老夏圣等教数。西乡守有秩志臣佐顺临。□□亲具。

张掖都尉章。肩水侯以邮行。九月庚午。宿卒孙惠以来。

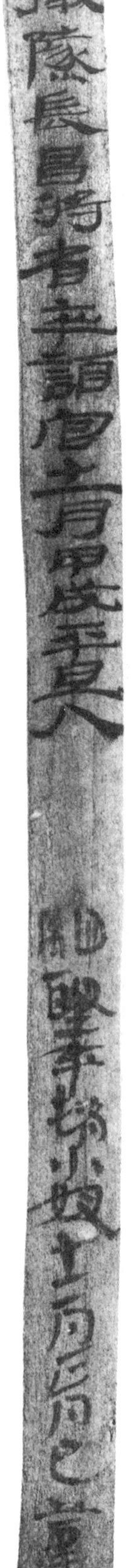

禁察隧长昌将省卒诣官。十一月甲戌。平旦入。驷坚卒赵小奴。十二月正月已廪。

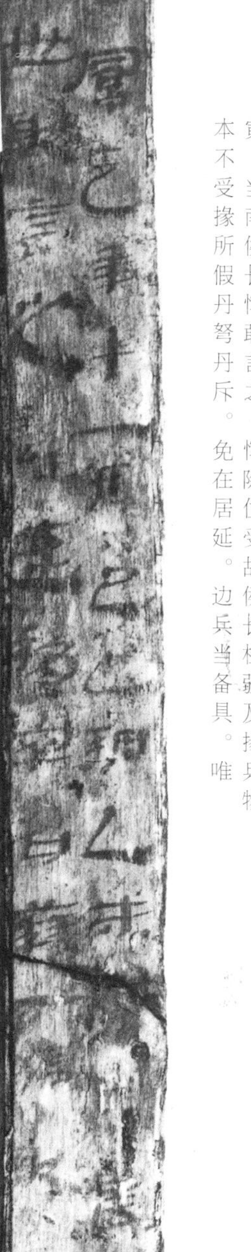

寅。当南侯长恽敢言之。恽除位受故侯长杜疆及掾兵物。
本不受掾所假丹弩丹斥。免在居延。边兵当备具。唯

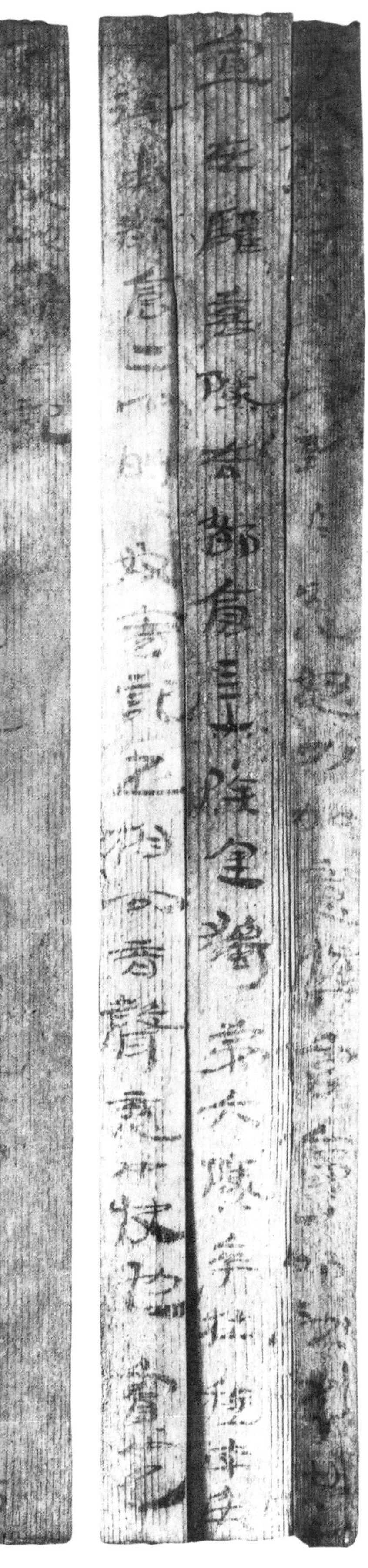

元凤元年十一月己巳朔乙未。骍马农令宜王丞
安世敢言之。谨连移卒名籍一编敢言之。

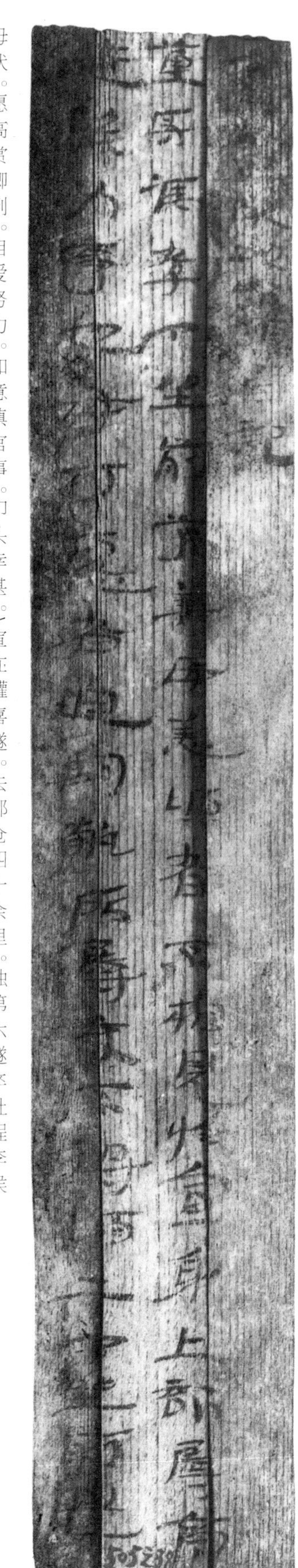

曹宣伏地叩头自记/董房冯孝卿坐前。万年毋恙。顷者不相见。于宣身上。部属亭。/迹侯为事也。毋可忧者。迫驹执所辱。故不得诣二卿坐。前遣
常得奏都仓二卿。时时数寄记书相问。音声意中快也。实中儿
毋状。愿高赏卿到。自爱努力。加意慎官事。叩头幸甚。/宣在骍喜隧。去都仓四十余里。独第六隧卒杜程李侯

吏奴下薄贱多所迫。迫近官廷不得去尺寸间。数失往人。甚毋状。叩头。子侯不羞蒐。/贫人收录置。意中教身见以报厚恩。彭叩头。因道。彭今年毋状小疾。内钱家室。分离独居。困致毋礼物至子侯君胥前。甚毋状。独赐臈/赀。初岁宜当奔走至前。迫有行塞者。未敢去署。叩头请侯间司便致言解。俱叩头。顷得谒见。始余盛寒不和。唯为时平衣强奉/酒食。愚戆毋俞。甚焉。叩头。数已张子春累毋已。子侯奉以彭。故不遗亡至意。得已蒙厚恩甚厚。谨因子春致书。彭叩头。单/记□□□不谒。彭叩头。

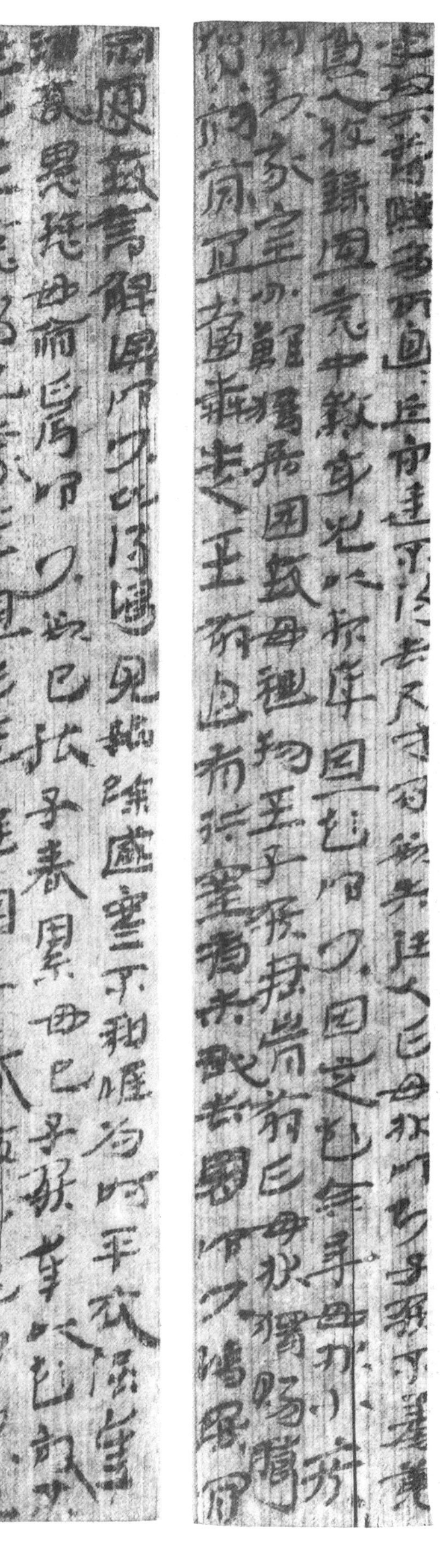

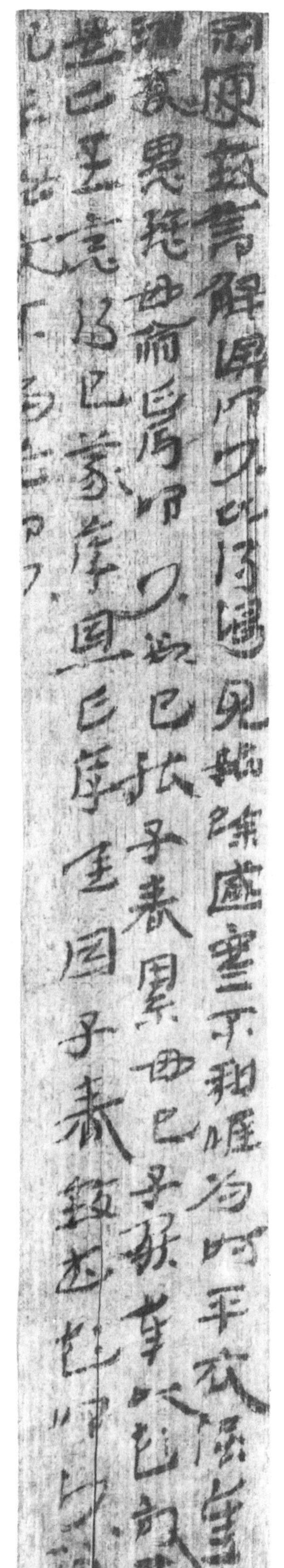

临木侯长报官医张卿卿前。许为问事。至今未蒙教。

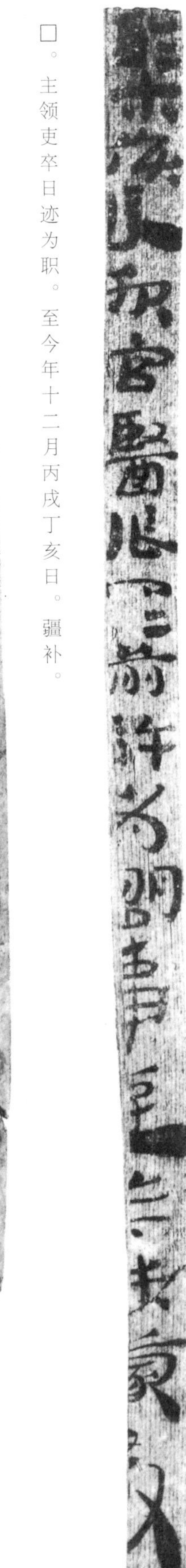

□。主领吏卒日迹为职。至今年十二月丙戌丁亥日。疆补。

阳朔四年闰月戊寅。甲渠侯

永光元年五月戊子。觻得守左尉奉移过所县。卒诣肩水侯往。为侯之觻得。取麦二百石遣就家。昭武安定里徐就等。月丙戌。诣肩水侯官。移行毋留止。如律令。

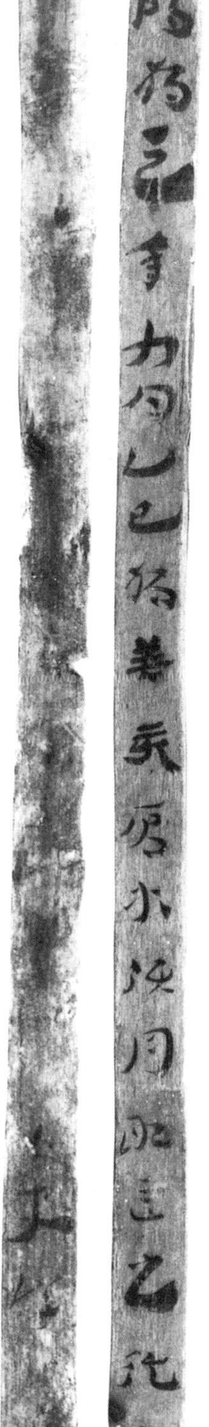

阳朔三年九月乙巳朔辛亥。肩水侯月敢言之。从。令史谭。

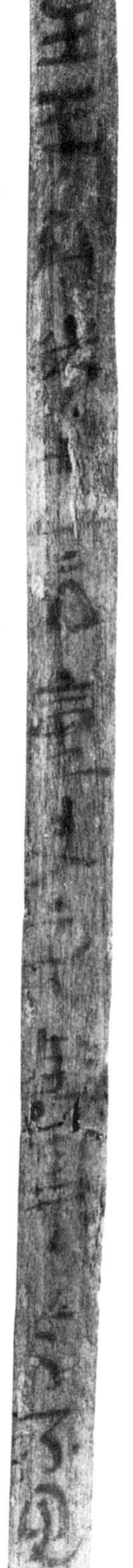

告掾王平尉常。书言廪吏卒验毕。令不见

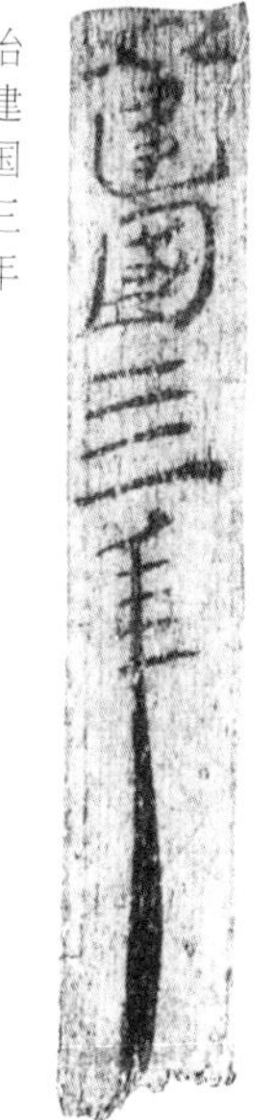

始建国三年

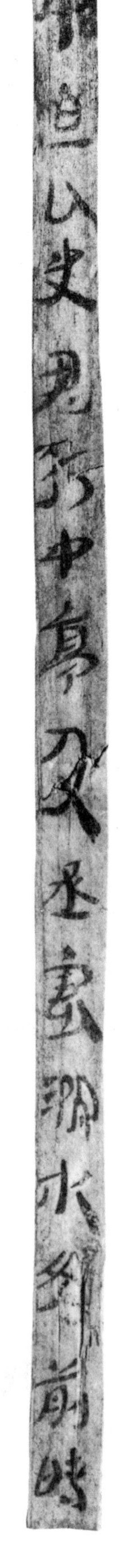

中迫长史君。行中亭及丞。塞涧水多。前时

凡七万五千四百廿九。／其六万四千七百六十君赋。／尉史所赋万六百六十九。／凡少四千五百卅一。／取茭钱六百一十九。／笔钱二百。／死卒钱二百卅。／凡千卌九

故画千三。／黑墨千四。／羹千一。／故中槃一。／著小杯五十。其五枚破。赤墨画代二。其一枚破。／赤杯七具。／白杯十七具。／墨著大杯廿。

大箠箧一。／狗三枚大小。／讬八具。／故黑墨小杯九。／故大杯五。缺故。／恶称坐四。书箧一。／写娄一封。／完。

永元器物簿

入南书二封。居延都尉九年十二月廿七日廿八日谨诣府。封完。/永元十年正月五日蚤食时狐受孙昌。/广地南部言。永元五年六月官兵釜硙月言簿。/承五月余官弩二张箭八十八枚釜一口硙二合。/今余官弩二张箭八十八枚釜一口硙二合。/具弩一张。力四石。木关。陷坚羊头铜鍭箭卅八枚。/故釜一口。鍉有锢口呼长五寸。/硙一合。上盖缺二所。合大如疏。/一右破胡隧物。/●具弩一张。力四石。五木破。故系往往绝。/盲矢铜鍭箭五十枚。/硙一合。敝尽不任用。/一右涧上隧兵物。

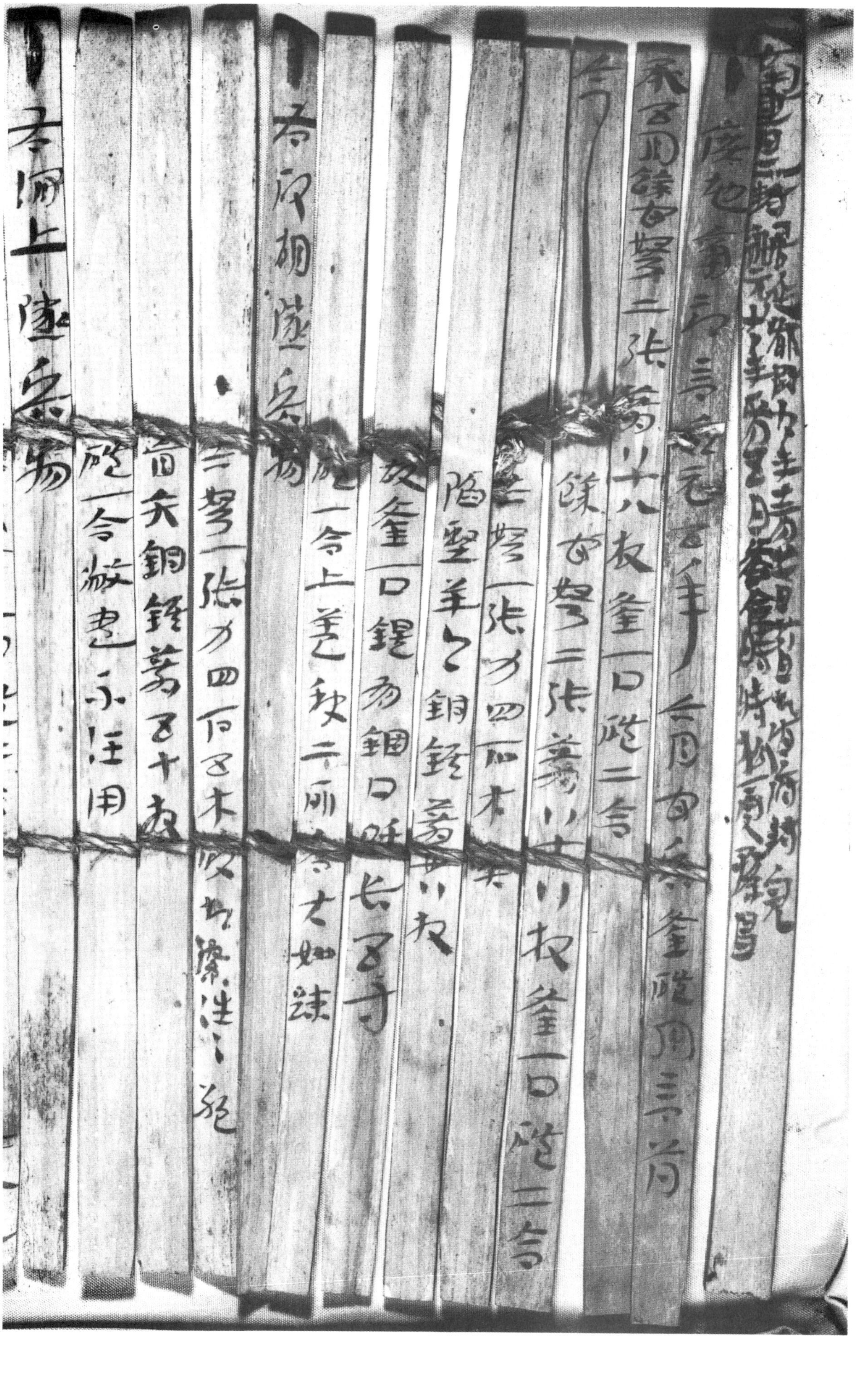

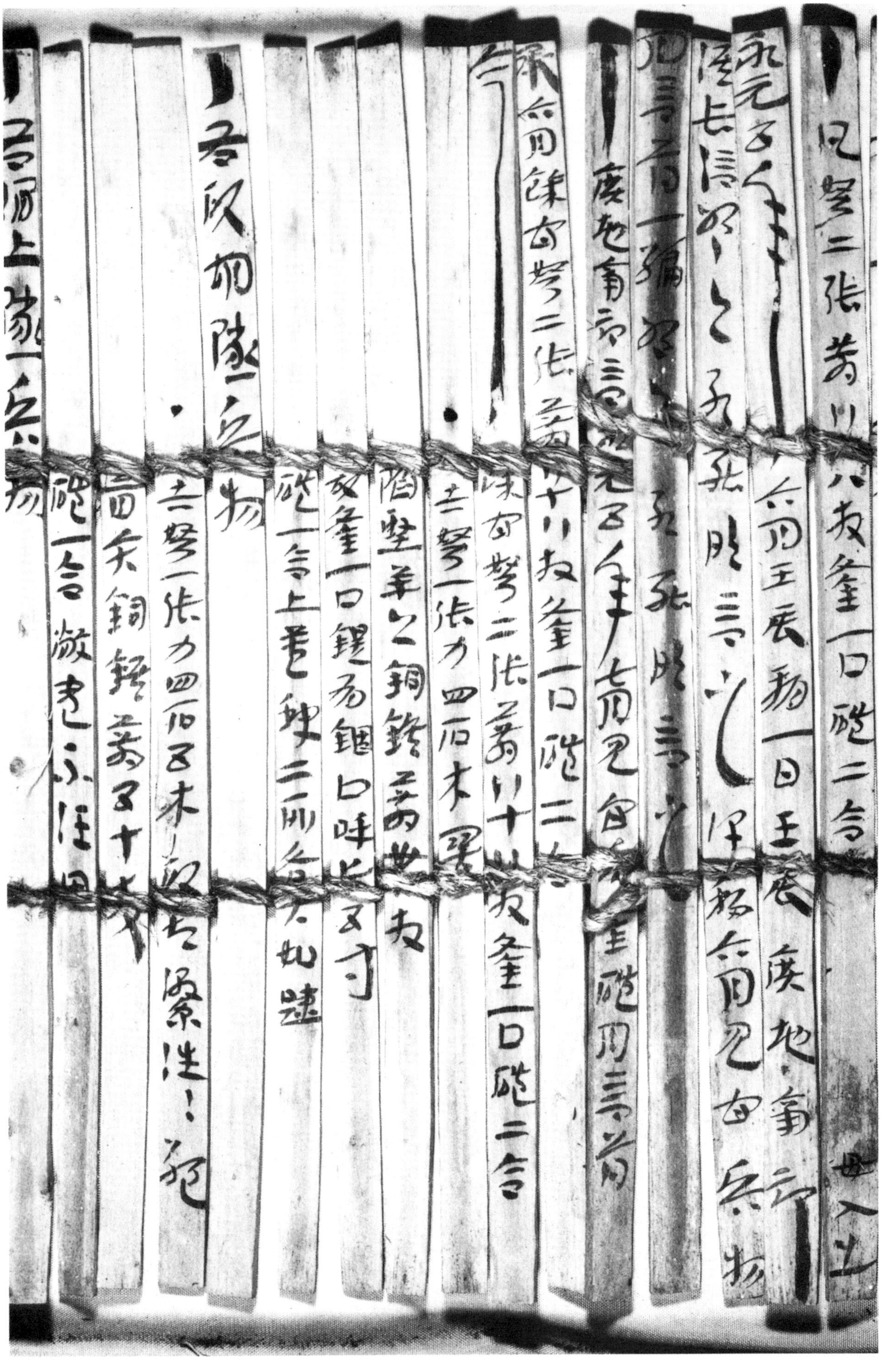

一凡弩二张箭八十八枚釜一口硙二合毋入出。乀永元五年六月壬辰朔一日壬辰。广地南部乀侯长信。叩头死罪敢言之。谨移六月见官兵物乀月言簿一编。叩头死罪敢言之。
乀一广地南部言。永元五年七月见官兵釜硙月言簿。乀承六月余官弩二张箭八十八枚釜一口硙二合。乀今余官弩二张箭八十八枚釜一口硙二合。乀●具弩一张。力四石。木
关。乀陷坚羊头铜鍭箭卅八枚。乀故釜一口。鍉有錮口呼长五寸。乀硙一合。上盖缺二所。各大如疏。乀一右破胡隧兵物。乀●具弩一张。力四石。五木破。故系往往绝。盲矢铜鍭
箭五十枚。乀硙一合。敝尽不任用。

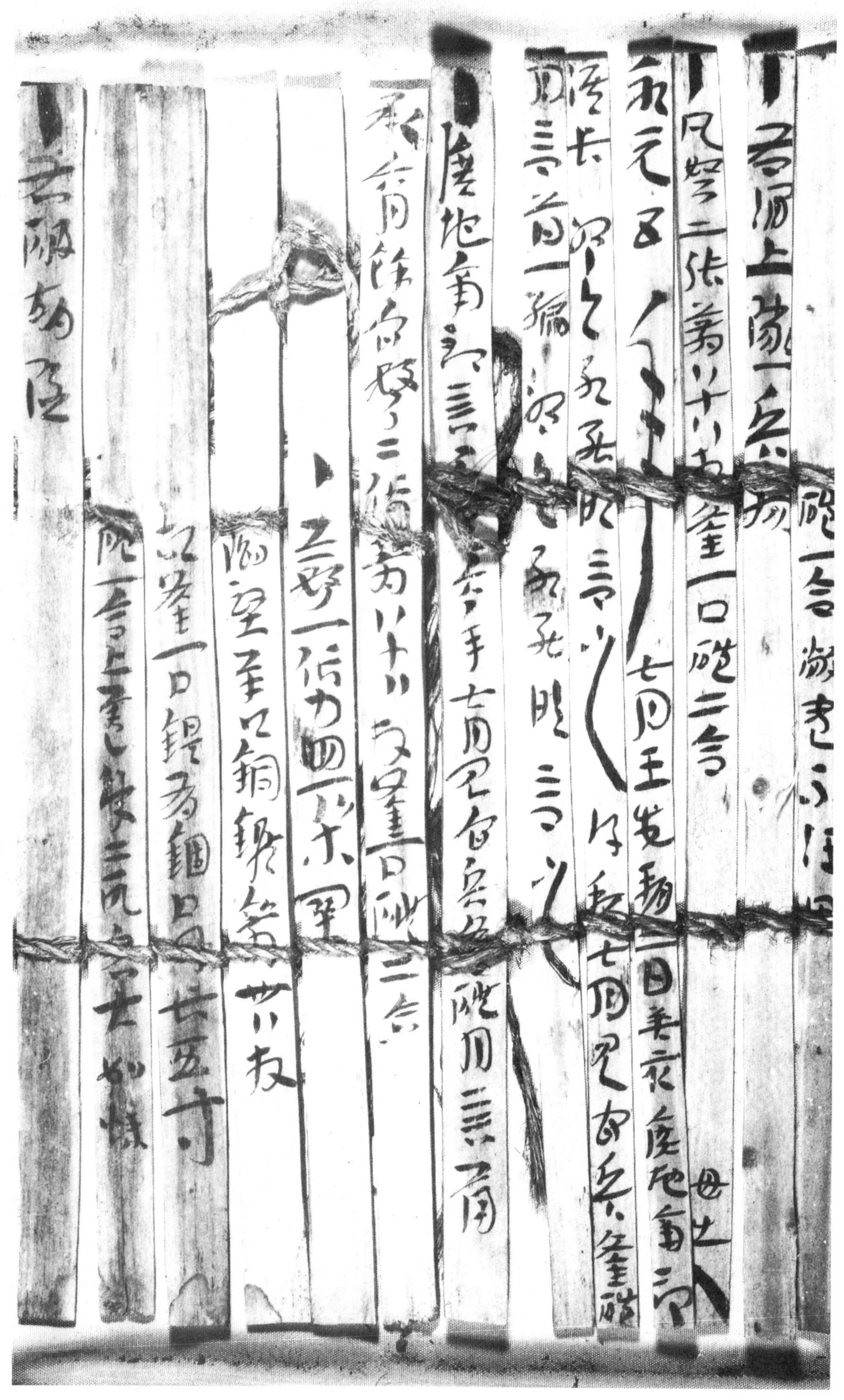

—右涧上隧兵物。〆—凡弩二张箭八十八枚釜一口硙二合毋出入。〆永元五年七月壬戌朔二日癸亥。广地南部〆侯长。叩头死罪敢言之。谨移七月见官兵釜硙〆月言簿一编。叩头死罪敢言之。〆—广地南部言。永元六年七月见官兵釜硙月言簿。〆承六月余官弩二张箭八十八枚釜一口硙二合。〆●具弩一张。力四石。木关。〆陷坚羊头铜鍭箭卅八枚。〆故釜一口。鍉有锢口呼长五寸。〆硙一合。上盖缺二所。各大如疏。〆—右破胡隧。

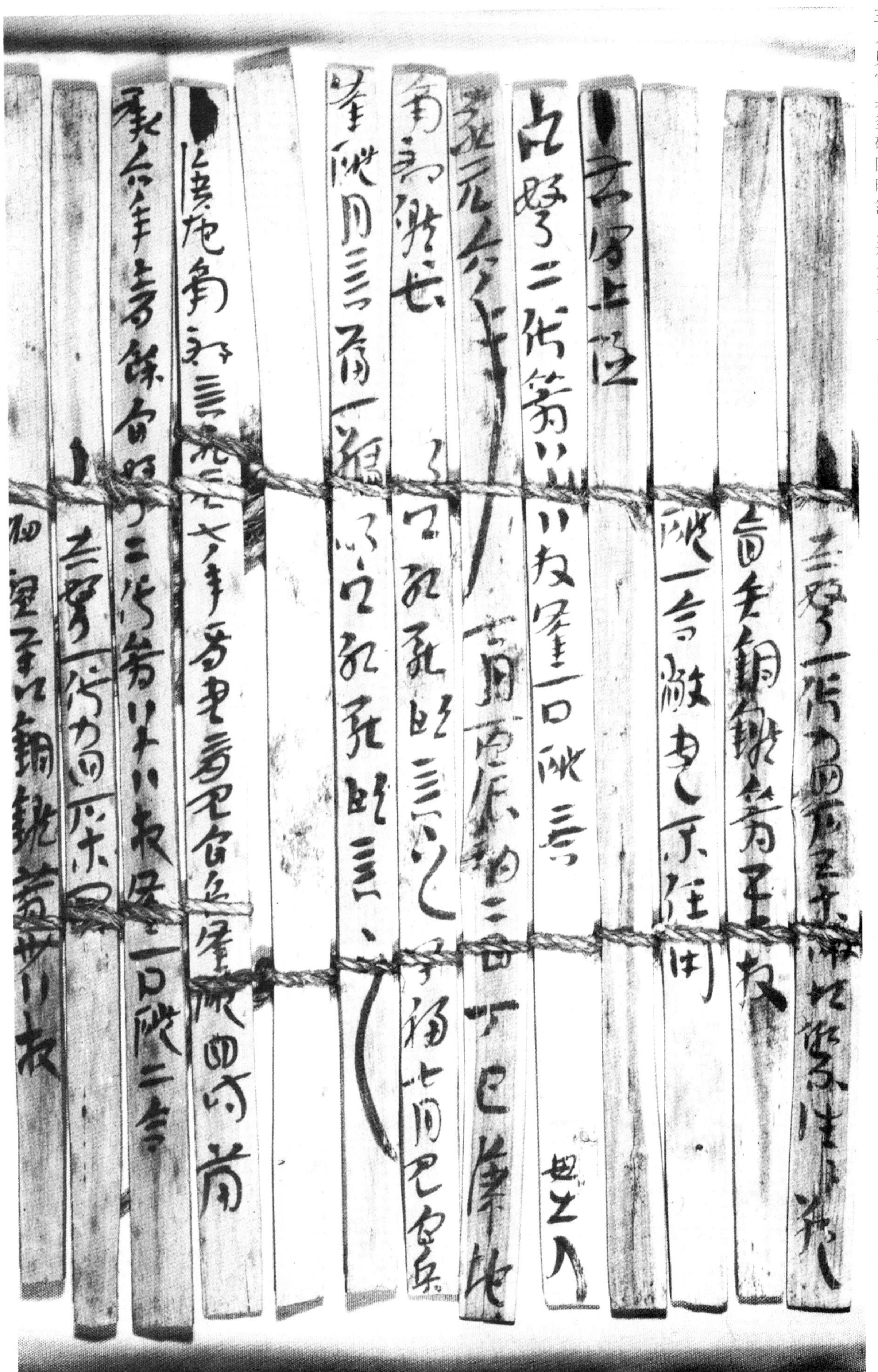

●具弩一张。力四石。五木破。故系往往绝。/盲矢铜鍭箭五十枚。/砲一合。敝尽不任用。/—右涧上隧。/—凡弩二张箭八十八枚釜一口砲二合毋出入。/永元六年七月丙辰朔二日丁巳。广地/南部侯长。叩头死罪敢言之。谨移七月见官兵/釜砲月言簿一编。叩头死罪敢言之。/—广地南部言。永元七年正月尽三月见官兵釜砲四时簿。/承六年十二月余官弩二张箭八十八枚釜一口砲二合。/●具弩一张。力四石。木关。

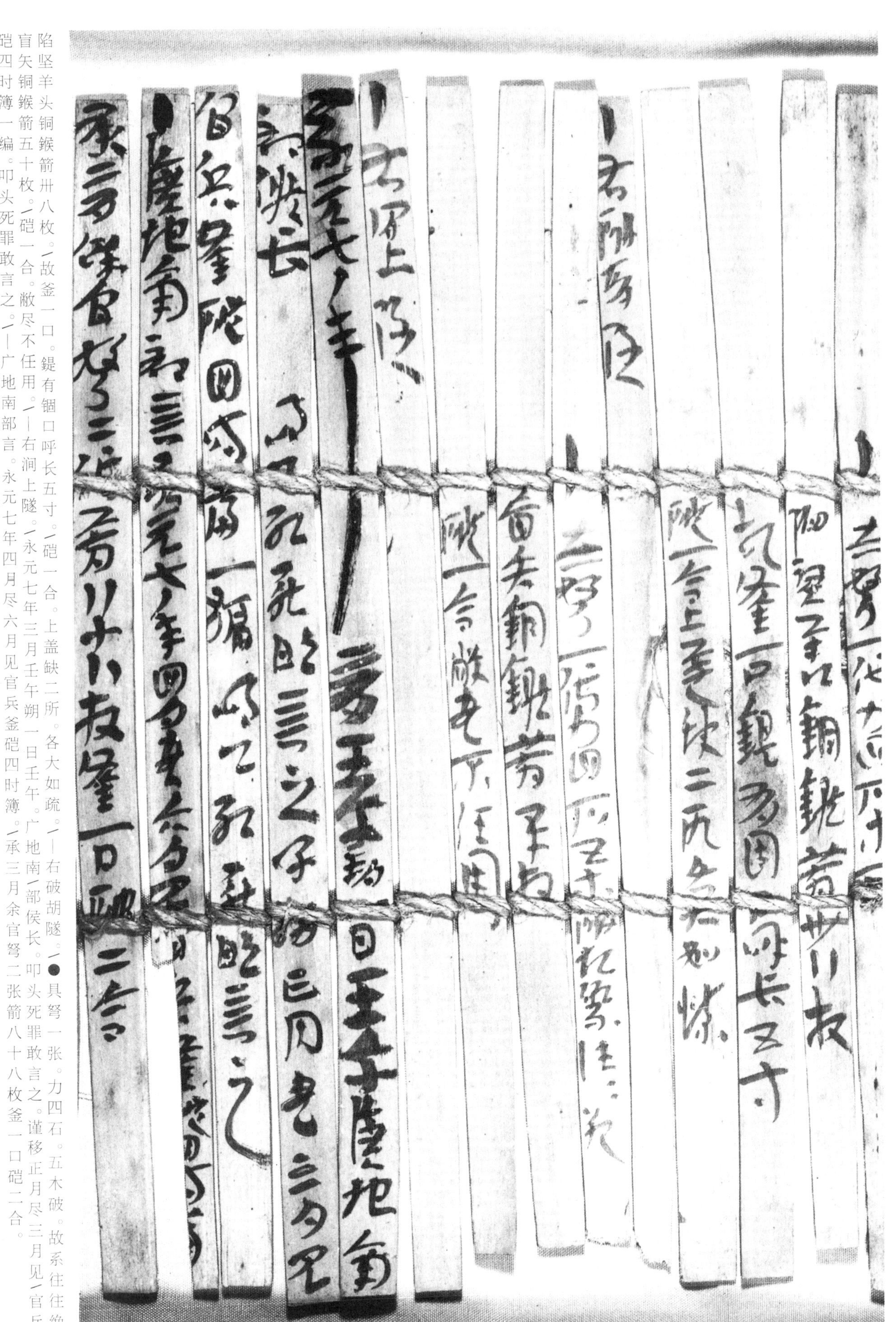

陷坚羊头铜鍭箭卅八枚。/故釜一口。鍉有锢口呼长五寸。/硙一合。上盖缺二所。各大如疏。/丨右破胡隧。/●具弩一张。力四石。五木破。故系往往绝。/盲矢铜鍭箭五十枚。/硙一合。敝尽不任用。/丨右涧上隧。/永元七年三月壬午朔一日壬午。广地南/部侯长。叩头死罪敢言之。谨移正月尽三月见/官兵釜硙四时簿一编。叩头死罪敢言之。/丨广地南部言。永元七年四月尽六月见官兵釜硙四时簿。/承三月余官弩二张箭八十八枚釜一口硙二合。

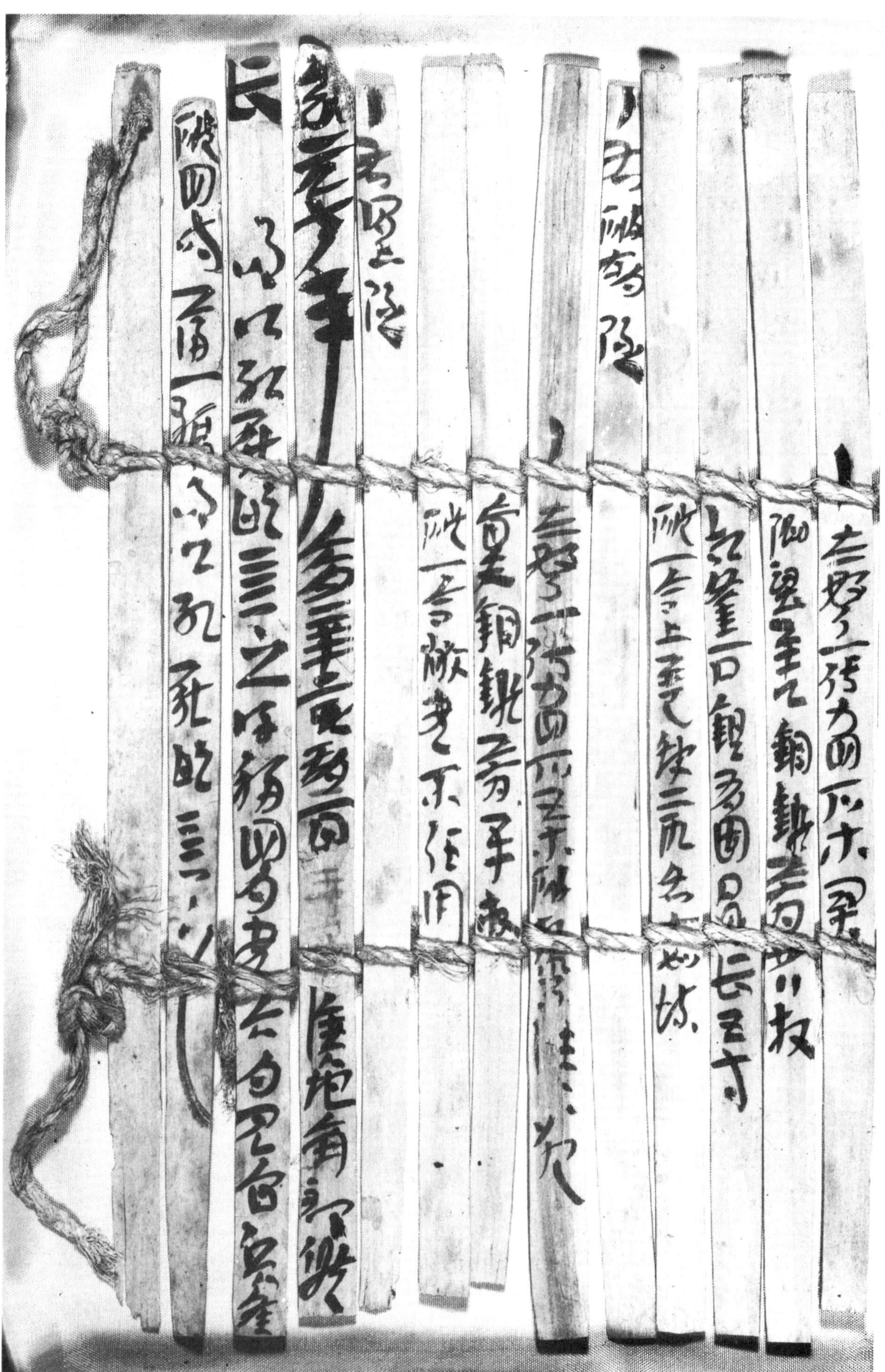

●具弩一张。力四石。木关。/陷坚羊头铜鍭箭卅八枚。/故釜一口。鍉有锢口呼长五寸。/硙一合。上盖缺二所。各大如疏。/一右破胡隧。/●具弩一张。力四石。五木破。故系往往绝。/盲矢铜鍭箭五十枚。/硙一合。敝尽不任用。/一右涧上隧。/永元七年六月辛亥朔二日壬子。广地南部侯/长。叩头死罪敢言之。谨移四月尽六月见官兵釜/硙四时簿一编。叩头死罪敢言之。

仪礼甲本·士相见之礼

还其垫。宾对曰。君不有其外臣。臣不敢辞。再拜稽首受。●凡燕见于君。必辩君之南面。如不得。则正方不疑君。君在堂。升见无方阶。辨君所在。凡言非对也。称而

仪礼甲本·服伝

●不杖麻屦者祖父母。何以期也。尊也。世父叔父。何以期也。与尊者一体也。然则为昆弟之子。何以亦期也。旁尊也。不足以加尊焉。故报之也。父子一体也。夫妻

仪礼甲本·特牲

西阈外。筮人取筮于西塾执。东面受命于主人。宰自主人左赞命。命曰。孝孙某筮来日某诅此某事。适其皇祖某子尚飨。筮者许诺还。即席西面坐。卦者在南。

仪礼甲本·少牢

一匕以从。雍府执四匕以从。司士合执二俎以从。司士赞者二人皆合执二俎以相从人。陈鼎于东方当序。南于洗西。皆西面北上。膚为下。匕皆加于鼎东枋。俎皆执于鼎。

仪礼甲本·有司

司士载尸俎。五鱼衡载之。或主人皆一鱼。亦衡载之。皆加脀。祭于其上。卒升。●宾长设羊俎于豆南。宾降尸升筵。自西方坐。左执爵。右取韭菹。擩于三豆祭于豆。

仪礼甲本·泰射

足履物还。视侯中。合足而俟。司马正适次。但决遂。执弓右挟之出。升自西阶。适下物。立于物间。左执弣。右执箫。南扬弓。命去侯。负侯皆许诺以宫。趋直西。及乏。

王杖十简

●兰台令第卌三。御史令第卌三。尚书令灭受。在金。／制诏御史曰。年七十受王杖者比六百石。入官廷不趋。犯罪耐以上毋二尺告劾。有敢征召侵辱／●者。比大逆不道。建始二年九月甲辰下。／制诏丞相御史。高皇帝以来至本二年。朕甚哀老少。高年受王杖上有鸠。使百姓望见之／●比于节。有敢妄骂詈殴之者比逆不道。得出入官府廊第。行驰道旁道市卖。复毋所与／●如山东复。有旁人养谨者。常养扶持。复除之。明在兰台石室之中。王杖不鲜明。／●得更缮治之。河平元年。汝南西陵县昌里先。年七十受王杖。英部游徼吴赏。使从者

●殴系先。用诧地。大守上谳。廷尉报。罪名
●明白。赏当弃市。
●孝平皇帝元始五年幼伯生。永平十五年受王杖。

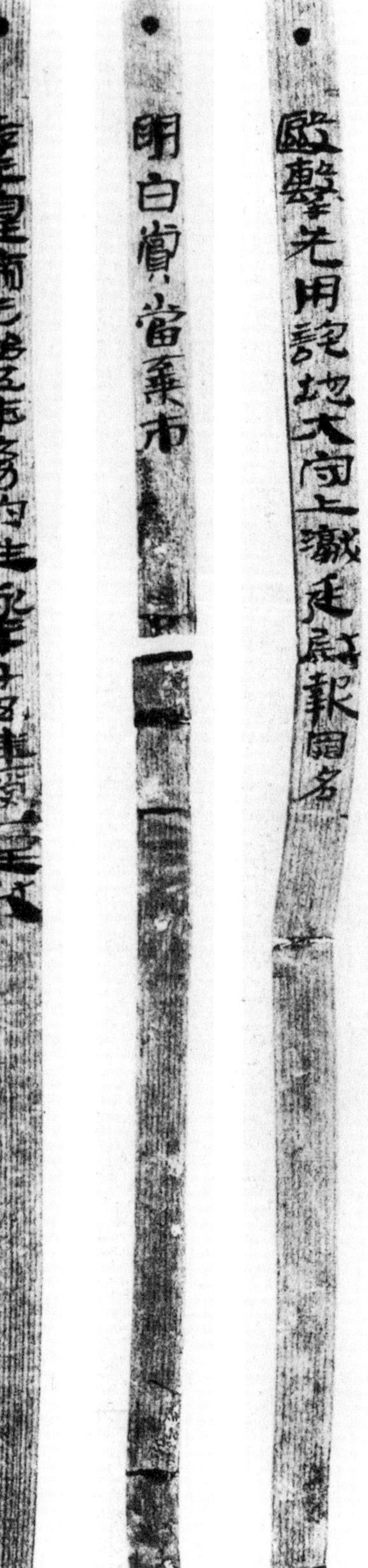

日忌
午。毋盖屋必见火光。未毋饮药必得之毒。申。毋裁衣不烦必亡。
酉。毋召客不闹若伤。戌。毋内畜不死必亡。亥毋。内妇不宜姑公。

杂占
有憙事。君思之。君子思之。有憙事。令人得财。

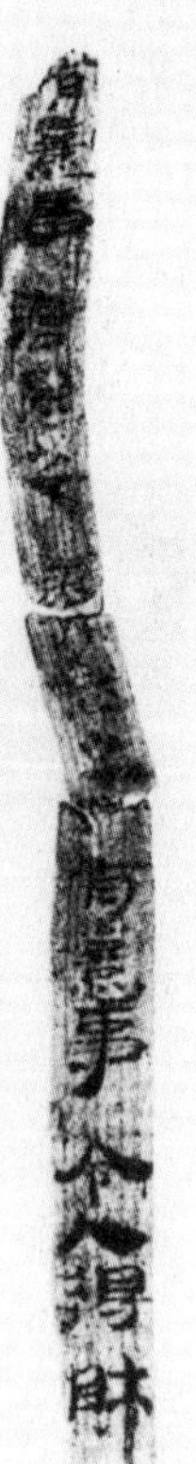

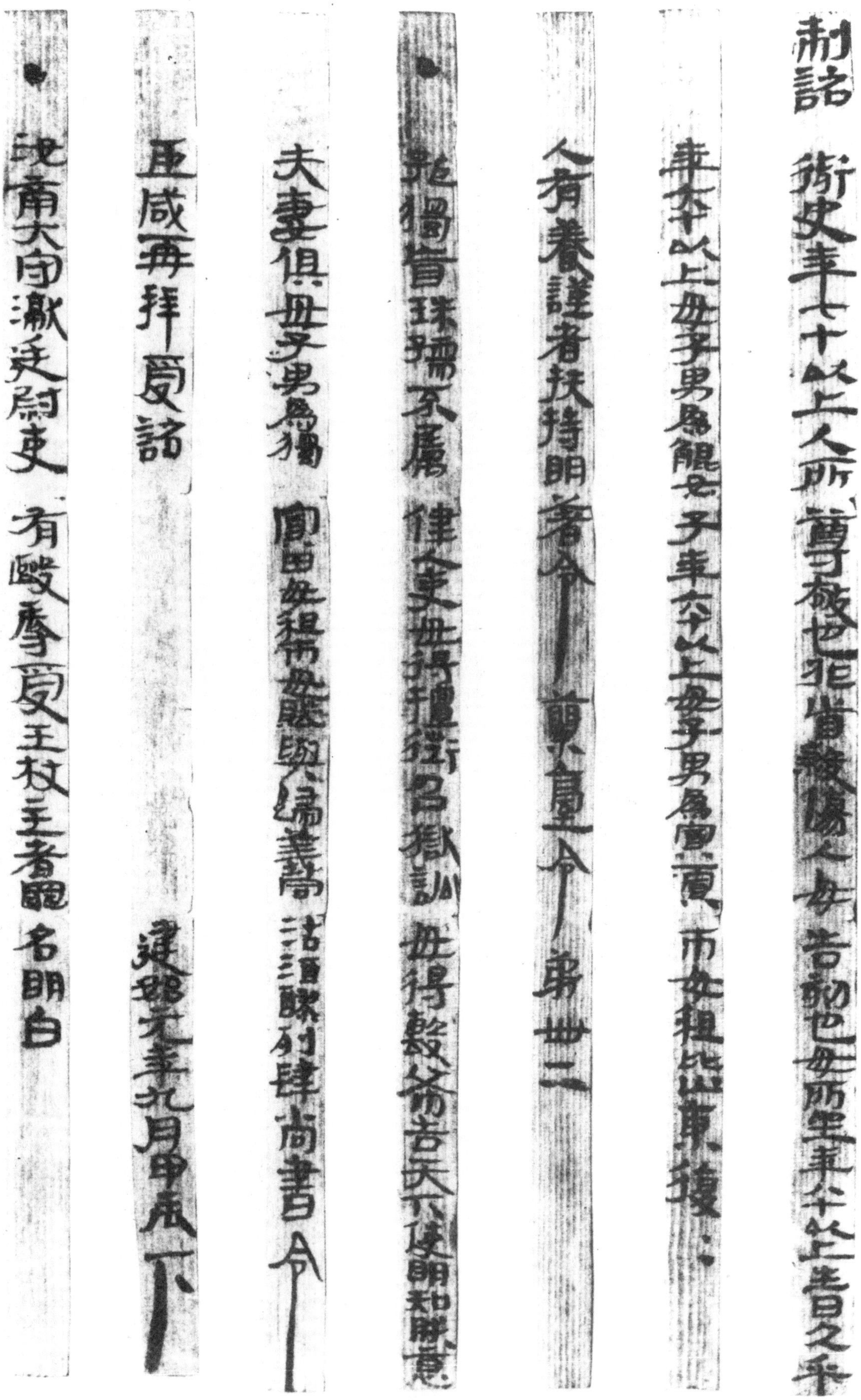

王仗诏书令

制诏御史。年七十以上。人所尊敬也。非首。杀伤人。毋告劾。他毋所坐。年八十以上。生日久乎。╱年六十以上。毋子男为鳏。女子年六十以上。毋子男为寡。贾市毋租。比山东复。复╱人有养谨者扶持。明著令。兰台令第卌二。╱●孤独盲侏孺。不属律人。吏毋得擅征召。狱讼毋得系。布告天下。使明知朕意。╱夫妻俱毋子男为独寡。田毋租。市毋赋。与归义同。沽酒醪列肆。尚书令臣咸再拜受诏。建始元年九月甲辰下。╱●汝南大守谳廷尉。吏有殴辱受王杖主者。罪名明白。

武威旱滩坡汉医简

治金创。止痛。令创中温方。曾青一分。长石二分。凡二物。皆冶合和。温酒饮一刀。日三。创立不痛。

治目痛方。以春三月上旬治药。曾青四两。戎盐三两。皆冶合。以乳汁和。盛以铜器。以傅目。良。

治百病膏药方。蜀椒一升。付子廿果。皆父。猪肪三斤煎之。五沸。浚去滓。有病者。取大如羊矢。温酒饮之。日三四。与滓捣之。丸大如赤豆。心寒气胁下痛。吞五丸。日三吞。

治痂及灸创及马育方。取□骆苏一升。付子廿枚。蜀椒一升。乾当归二两。皆父咀之。以骆苏煎之。三沸。药取以傅之。良甚。治人卒痈方。冶赤石脂。以寒水和。涂痈上。以愈为故。良。治狗啮人创痛方。燔狼毒。冶以傅之。创乾者。和以膏傅之。治汤火涷方。燔□罗。冶以傅之。良甚。

治千金膏药方。蜀椒四升。芎穷一升。白芷一升。付子卅果。凡四物。皆治父咀。置铜器中。用淳醯三升渍之卒时。取豮猪肪三斤。先煎之。先取鸡子中黄者。置杯中。挠之三百。取药盛以五分匕一。置鸡子中。复挠之二百。薄以涂其痈者。上空者遗之中央。大如钱。药乾复涂之。如前法三涂。去其故药。其毋脓者行愈。已有脓者溃。毋得力作。禁食诸菜。□置□上。良甚。创痛痤皆中之。良。勿传也。

治久欬上气。喉中如百虫鸣状。卅岁以上方。柴胡桔梗蜀椒各二分。桂乌喙姜各一分。凡六物。皆治合和。丸白蜜。大如婴桃。昼夜啥三丸。稍咽之。甚良。

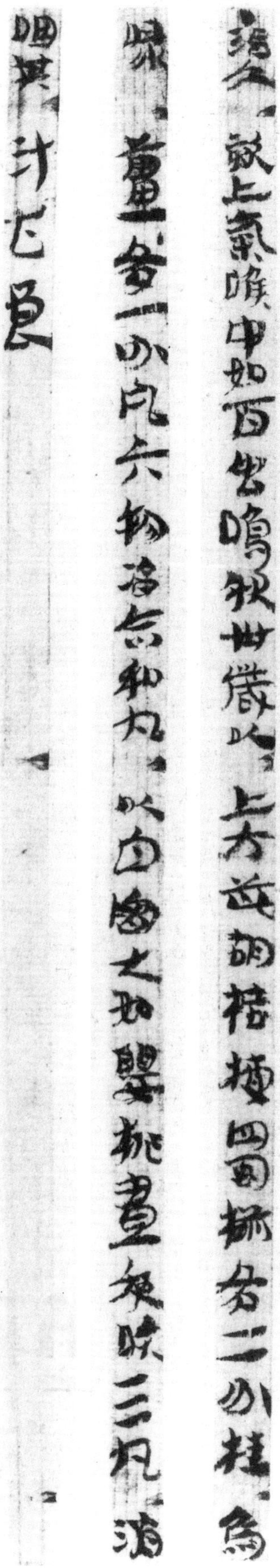

● 治久欬上气。喉中如百虫鸣状。卅岁以上方。柴胡桔梗蜀椒各二分。桂乌
喙姜各一分。凡六物。冶合和。丸以白蜜。大如婴桃。昼夜含三丸。稍
咽其汁。甚良。

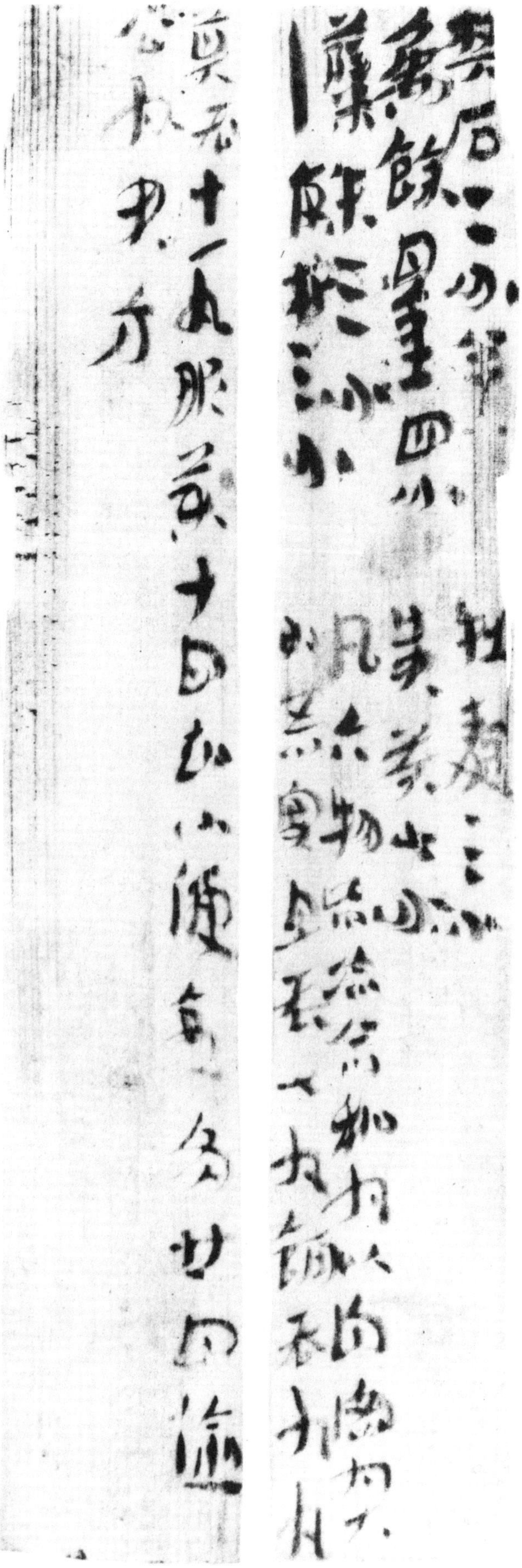

礜石二分半。/禹余粮四分。/蘖米三分。/|厚朴三分。
牡麹三分。/黄芩七分。/凡六物。皆冶合和。丸以白蜜。丸大/如梧实。旦吞七丸。餔吞九丸。
暮吞十一丸。服药十日知。小便数多。廿日愈。/公孙君方。

治奶人膏药方。楼三升。/付子卅枚。/弓大邓十分。/当归十分。
甘草七分。/藁草二束。/白芷四分。/凡七物。以豮膊膏。舍之。

治奶人膏药方。楼三升。/付子卅枚。/弓大邓十枚。/当归十分。
甘草七分。/藁草二束。/白芷四分。/凡七物。以豮膊膏之。/之之☐凡六物合后日

牛膝半斤。值五十。/方风半斤。百。/小椒一升半。五十。/卑☐半斤。值廿五。/慈石一斤半。百卅。
山朱臾二升半。值五十。/朱臾二升半。廿五。/席虫半升。廿五。/黄芩一斤。值七十。
黄连半斤。值百。/河莀半斤。值七十五。/续断一斤。百。子威取。/☐☐二斤。值廿七。子威取。/☐☐☐取药。凡值九百廿七。

楼兰晋简

泰始二年八月
水曹/人□下张掾

言□□□□史□还告。追贼于□间。/□获贼。马悉还所掠。记到令所部咸使闻知。敛。
会月廿四日卯时。谨案文书。书即日申时到。斯由神竹/振旅远□里间□□道涂称

出。韦四枚半连治铠二领兜鍪。

同。建兴十八年三月十七日。粟□胡楼□
一万。在钱二百。
功曹。主簿。

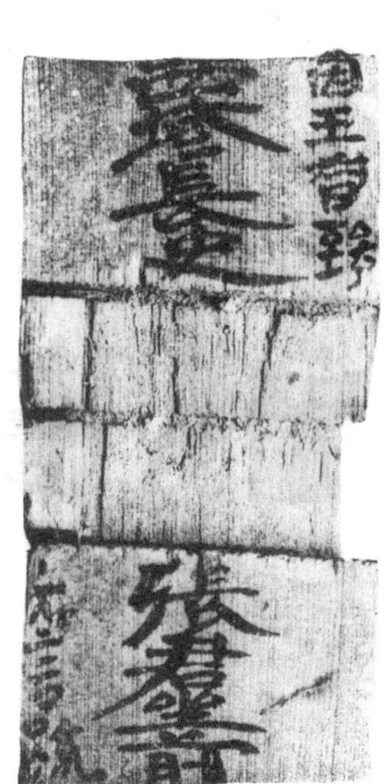

因王督致
西域长史张君坐前
元言疏

月七日。诣督。泰始四年闰月六日己巳。言

麮二斛八斗。当麦一斛四斗。禀削工伍佰铃下马下/李卑等五人。日食八升。起六月十一日尽十七日。

同。泰始四年六月十一日。受仓曹掾曹颜。/吏令狐承付。

功曹史赵伦。主簿梁鸾。录事掾曹。监量掾阚。伍佰穆成。消工郭受。/马下穆取。/领下张丰。

曹赵伦。主簿梁鸾。录事掾曹。监量掾阚□。

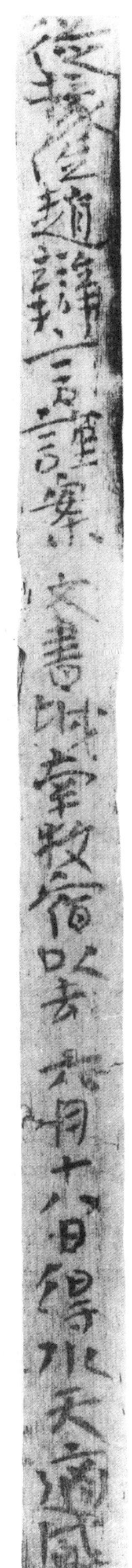

从掾位赵辩言。谨案文书。城南牧宿。以去六月十八日得水。天适盛

帐下将薛明言。谨案文书。前至楼兰。□还守堤兵廉□

兵吴鼠。兵郭得受。兵常沙

将张忠坐不与兵鲁平世相随令世随水物故。行问首。请行五十。

前驼他带二枚毳索三枚故绝。不任用。

承。前胡铁小锯□十六枚。

□三俗。泰始五年十二月廿八日。监。∕瓠玕从史位车成岱

主簿梁鸾。

如期送余少穀移奉。

以粜穀贷□见彩。粜穀□贷彩十八匹。谨案文书。

以驽钝众备员。数□事。目下惭无材。□以报天□。夙夜

□□□□□□□

□当持送来。□

当告部曲军假司马□康。

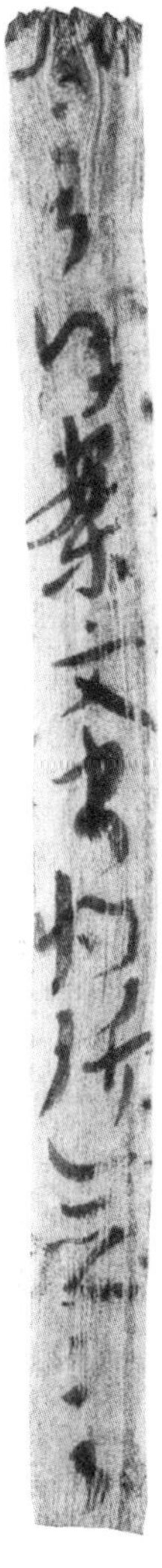

□言。谨案文书。将张佥言。

□□丞物。□案文书。□□□

国□贾谨表言。

水曹掾左朗白。前府掾所食诸瓜菜贾彩一匹。付客曹。

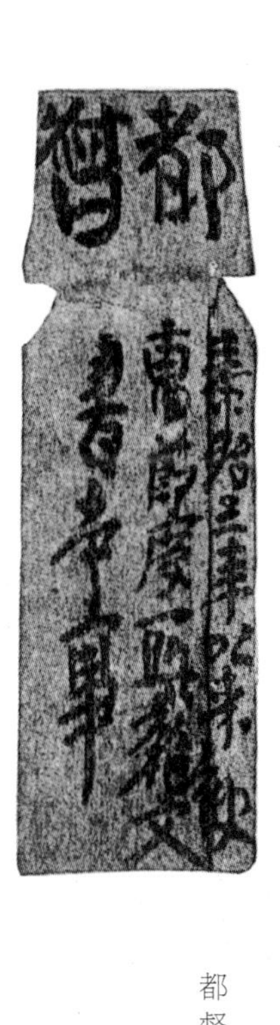

都督。泰始三年以来。彼曹节度所下杂文书本事。

卅人铠杖。自随言。□

将张佥言。谨案文书。兵刘□

出。廪卅一斛七斗六升。给禀将尹宜部兵胡皮/鸾十二人。日食一斗二升。起十月十一日尽十一月十日。
泰始二年十月十一日。仓曹史申傳。监仓史翟/阚携付书史杜阿。同。
□□掾阚凌

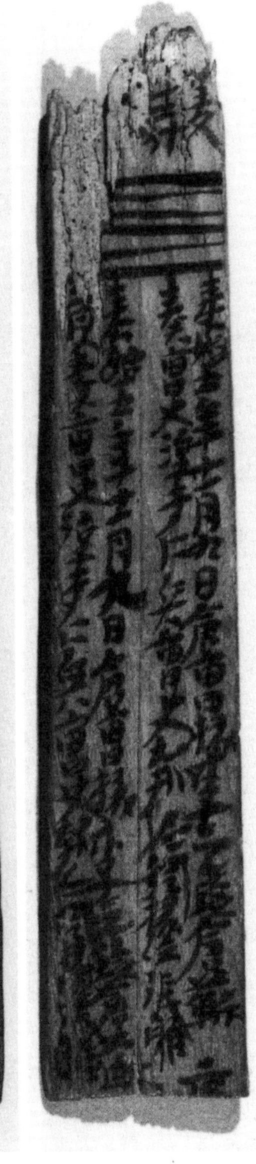

出。黑粟三斛六斗。禀督战车成辅。
一人日食一斗二升。起二月一尽卅日。咸熙三年二月一日。监仓

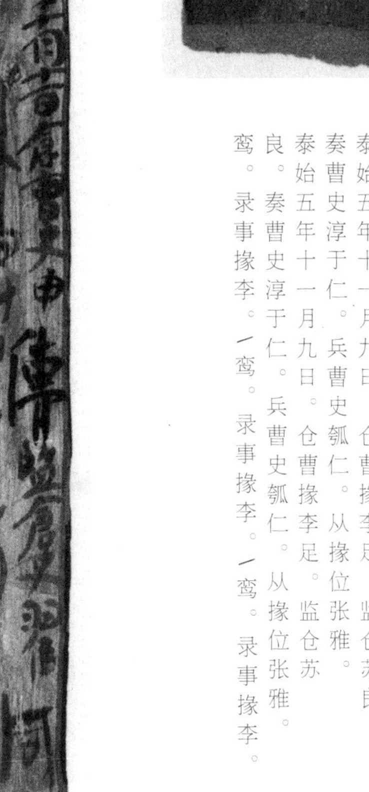

麦斗二升。
泰始五年十一月九日。仓曹掾李足。监仓苏良。
奏曹史淳于仁。兵曹史瓠仁。从掾位张雅。
泰始五年十一月九日。仓曹掾李足。监仓苏
良。奏曹史淳于仁。兵曹史瓠仁。从掾位张雅。
鸾。录事掾李。/鸾。录事掾李。/鸾。录事掾李。

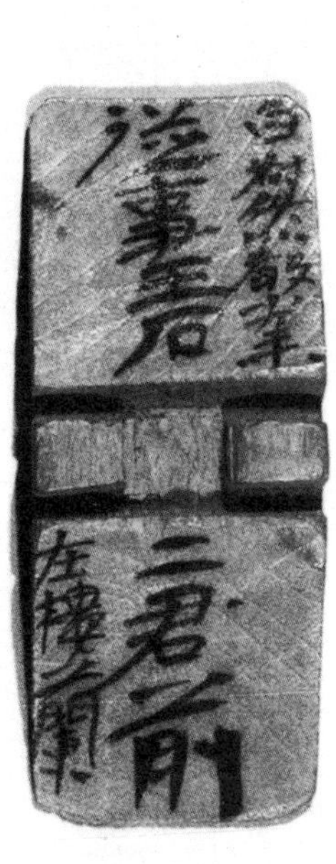

白叔然敬奉
从事王石二君前。
在楼兰。

出。敦煌短绫彩廿四。/给吏宋政籴榖。

泰始五年十一月五日。从掾位马厉主者王贞从/掾位赵辩。付从史位宋政。

功曹阚。

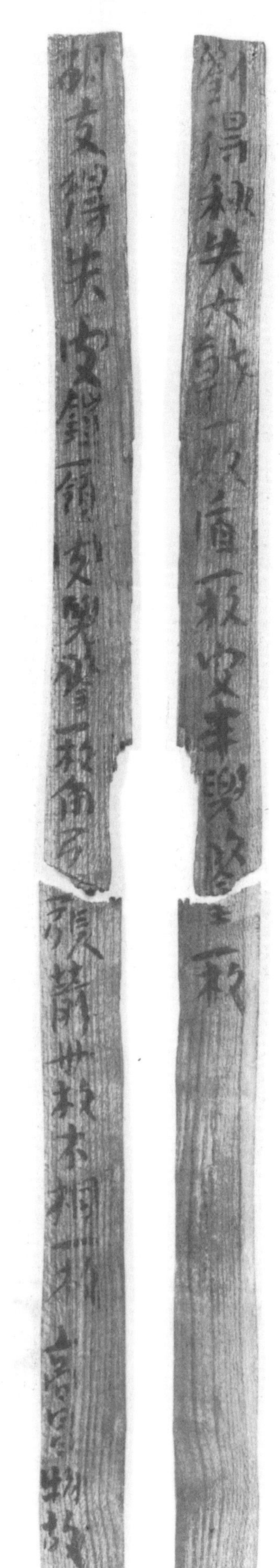

刘得秋失大戟一枚盾一枚皮丰兜鍪一枚。

胡支得失皮铠一领皮兜鍪一枚角弓一张箭卅枚木桐一枚。高昌物故。

泰始五年七月廿六日。从掾位张钧言。敦煌大守

未欲讫。官榖至重。不可远离。当须治大麦。讫乃得

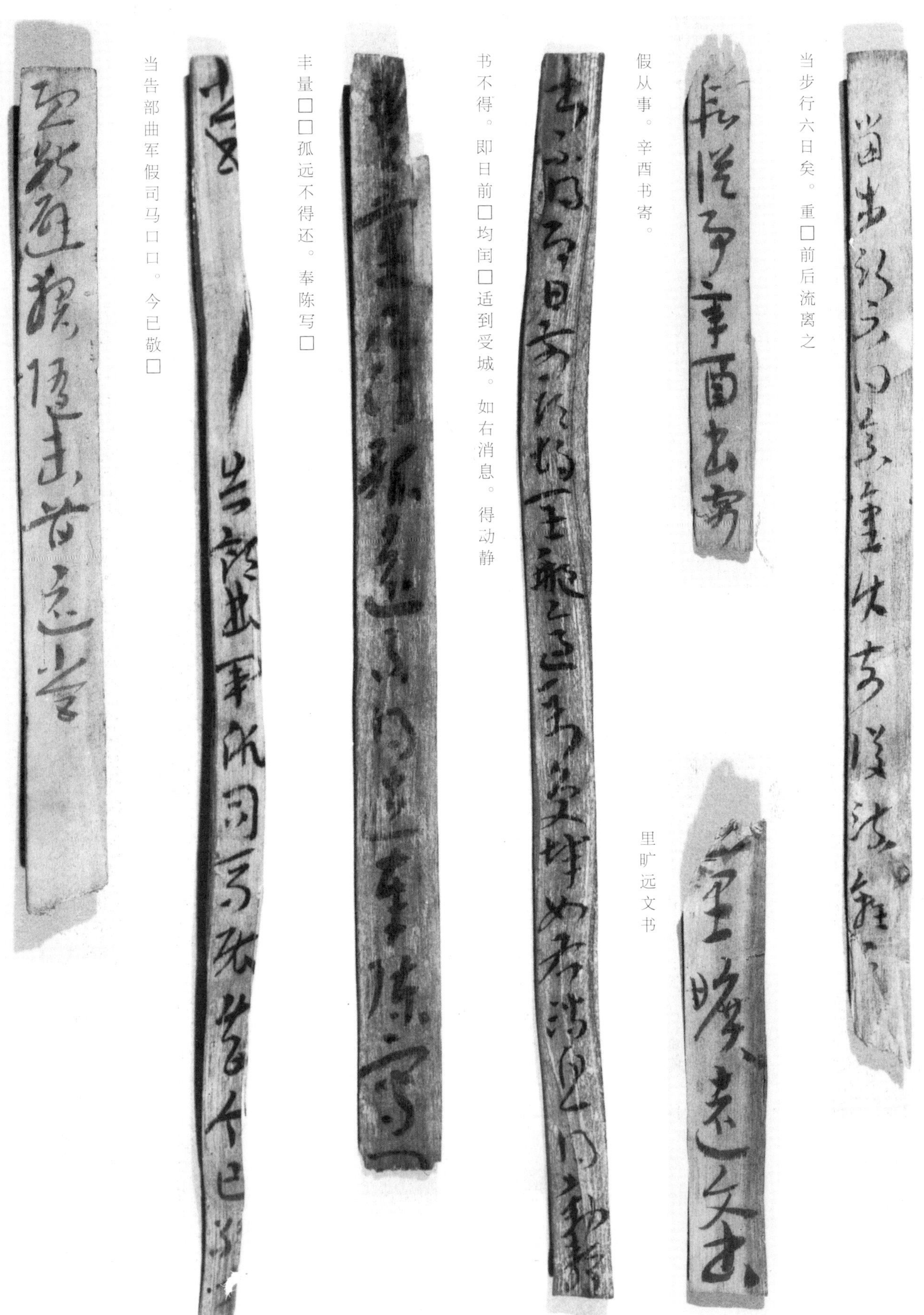

当步行六日矣。重□前后流离之

假从事。辛酉书寄。

里旷远文书

书不得。即日前□均闰□适到受城。如右消息。得动静

丰量□□孤远不得还。奉陈写□

当告部曲军假司马口口。今已敬□

恐断避□随顿首远当

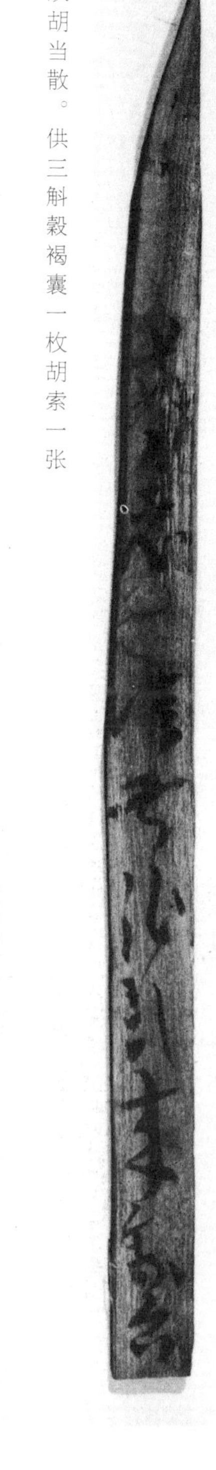

共念准叔作□来□台

从胡当散。供三斛榖褐囊一枚胡索一张

李卑疏。裘二领。白革囊二枚。黑褐囊一枚。/赤韦囊一枚。白布囊一枚。均布三枚。

青旃一领。/弓一张。箭十枚。沃者所取。

张雏。董古氏。范烧。

敦煌煌煌煌煌煌真煌敦煌泰泰始四年

十月廿六日。兵壬受官。自下辞□追还。不得贼物。审辞具。

入。敦煌兵壬冯仁等。钁十一枚。丿胡斧□松二枚。剑一枚。今还。

同。泰始五年六月十七日。监藏掾赵所丿杨得。都斤干应。上□□。

入。杜督部兵睹。

□□尔去王矣。白绵布□□□

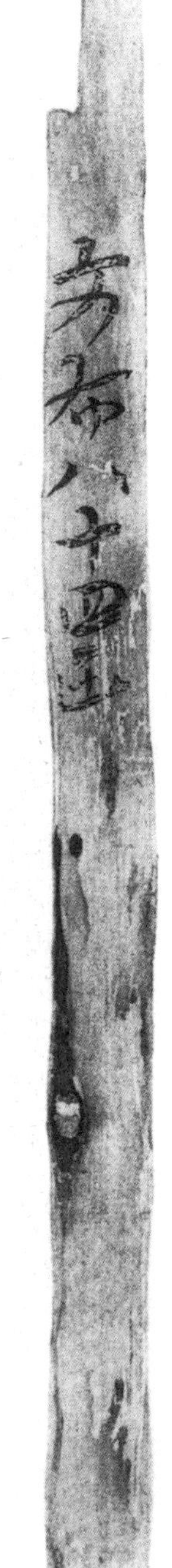

劣布八十四匹。

尼雅晋简

奉谨以琅玕一致问
春君。幸毋相忘。

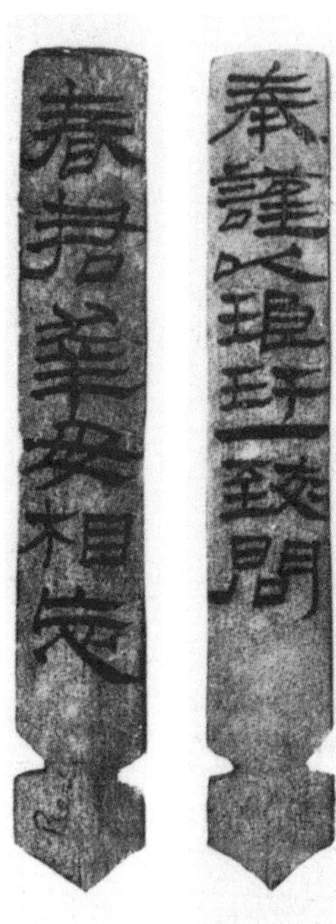

苏且谨以琅玕一致问
春君。

大子兵夫人叩头谨以琅玕一致问
夫人春君。

休乌宋耶谨以琅玕一致问
小大子九。健持。

君华谨以琅玕一致问
且末夫人。

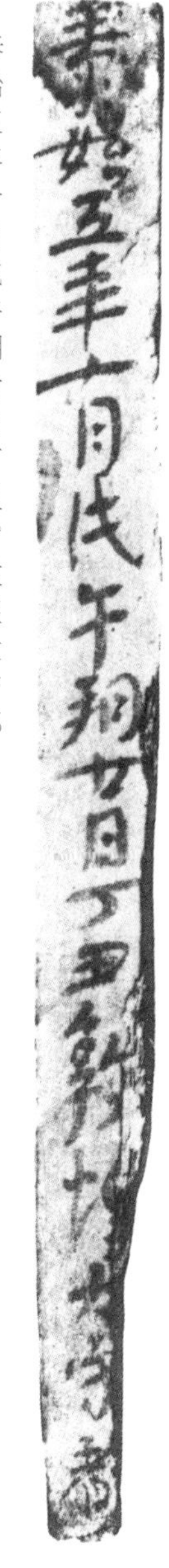

泰始五年十月戊午朔廿日丁丑。敦煌太守都

□生矣。与系者辞。连符问友。答辞呐俭

月支国胡支柱。年卌九。中人。黑色。

违会不还。或安别牧私行籴买。无过所启信。前各私从吏。周

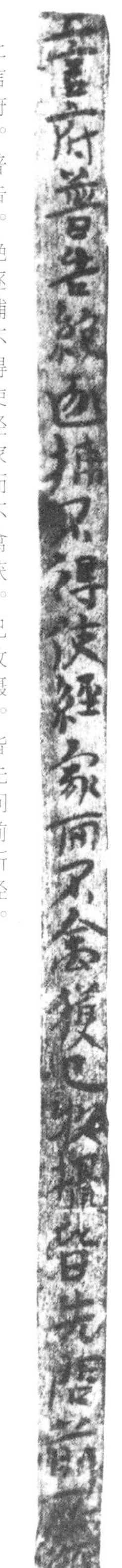

上言府。普告。绝逐捕不得使经家而不禽获。已牧摄。皆先问前所经。

日言。被都官从军符此牒。胡与系者辞。连胡

晋守侍中大都尉奉晋大侯亲晋鄯善焉耆龟兹疏勒

图书在版编目(CIP)数据
木简 竹简 帛书/魏文源编.--哈尔滨:黑龙江美术出版社.
2009.12
（中国古代名碑名帖）
ISBN 978-7-5318-2390-2

I. ①木…II. ①魏…III. ①竹简文－法帖－中国－古代②帛书－法帖－中国－古代 IV.
①J292.21

中国版本图书馆 CIP 数据核字(2009)第 231477 号

书　　名 木简 竹简 帛书
　　　　 Mujian Zhujian Boshu
编　　者 魏文源
责任编辑 赵立明
装帧设计 书　远
出版发行 黑龙江美术出版社
地　　址 哈尔滨市道里区安定街 225 号
邮政编码 150016
发行电话 (0451)84270514
网　　址 WWW.HLJMSS.COM
经　　销 全国新华书店
印　　刷 济南申汇印务有限责任公司
开　　本 890×1240　　1/16
印　　张 6
字　　数 36 千字
版　　次 2010 年 2 月第 1 版
印　　次 2010 年 2 月第 1 次印刷
书　　号 ISBN 978-7-5318-2390-2
定　　价 24.00 元